DESCRIPTION ICONOGRAPHIQUE DE L'ENCÉPHALE

PLANCHE I

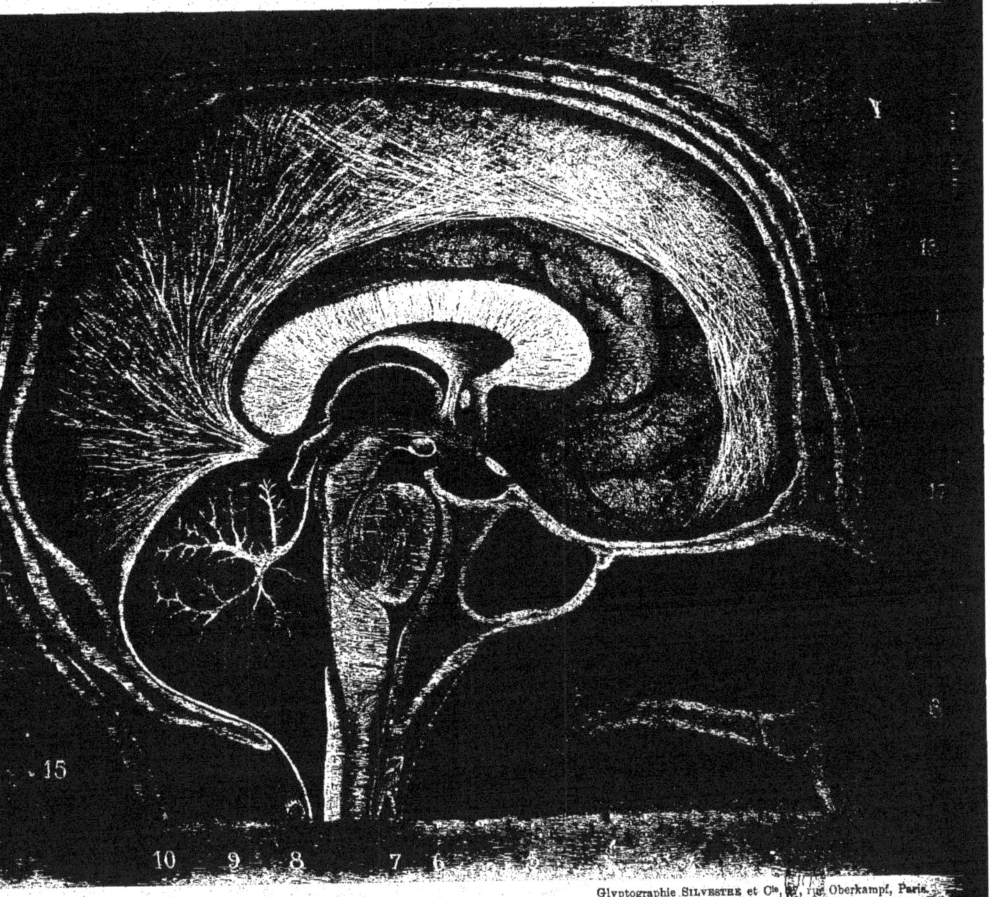

naturam del. Glyptographie Silvestre et Cie, rue Oberkampf, Paris.

Coupe verticale antéro-postérieure, faite suivant l'axe médian.

LIBRAIRIE J.-B. BAILLIÈRE ET FILS

PLANCHE II

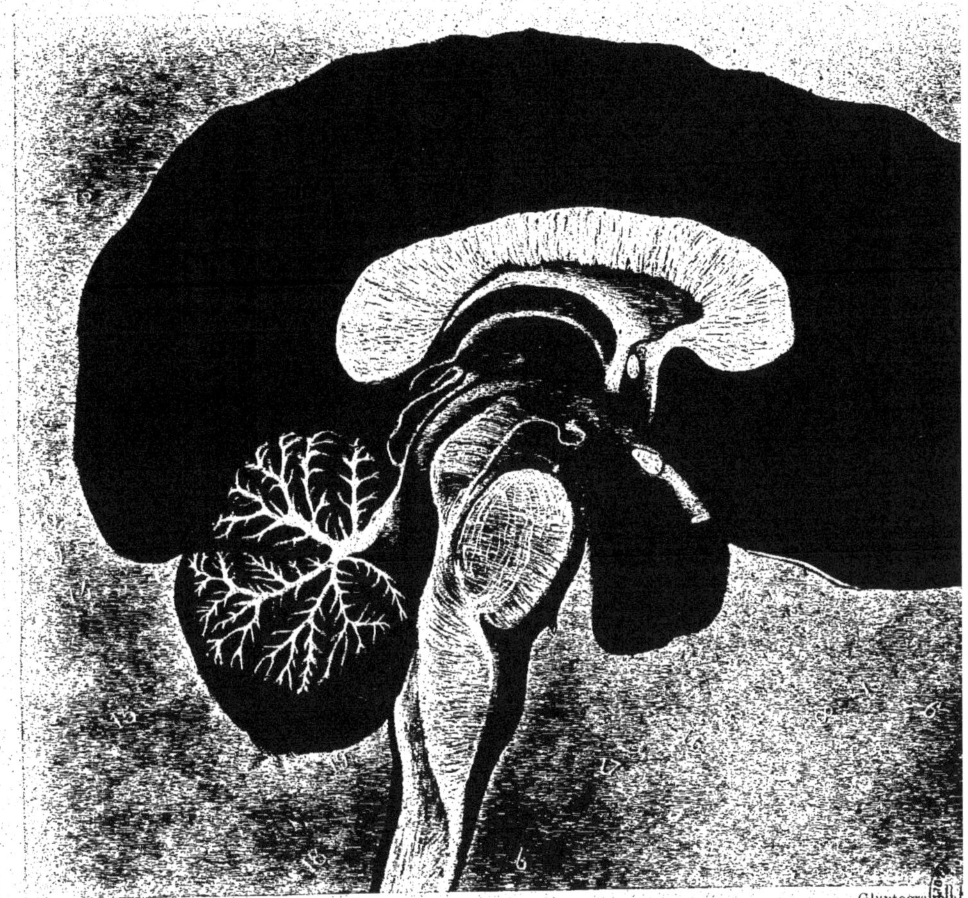

E. Gavoy ad naturam del.

Glyptogra

Moitié latérale gauche de l'Encéphale, enlevée de la cavité cr

LIBRAIRIE J.-B. BAILLIERE ET FILS

PLANCHE III

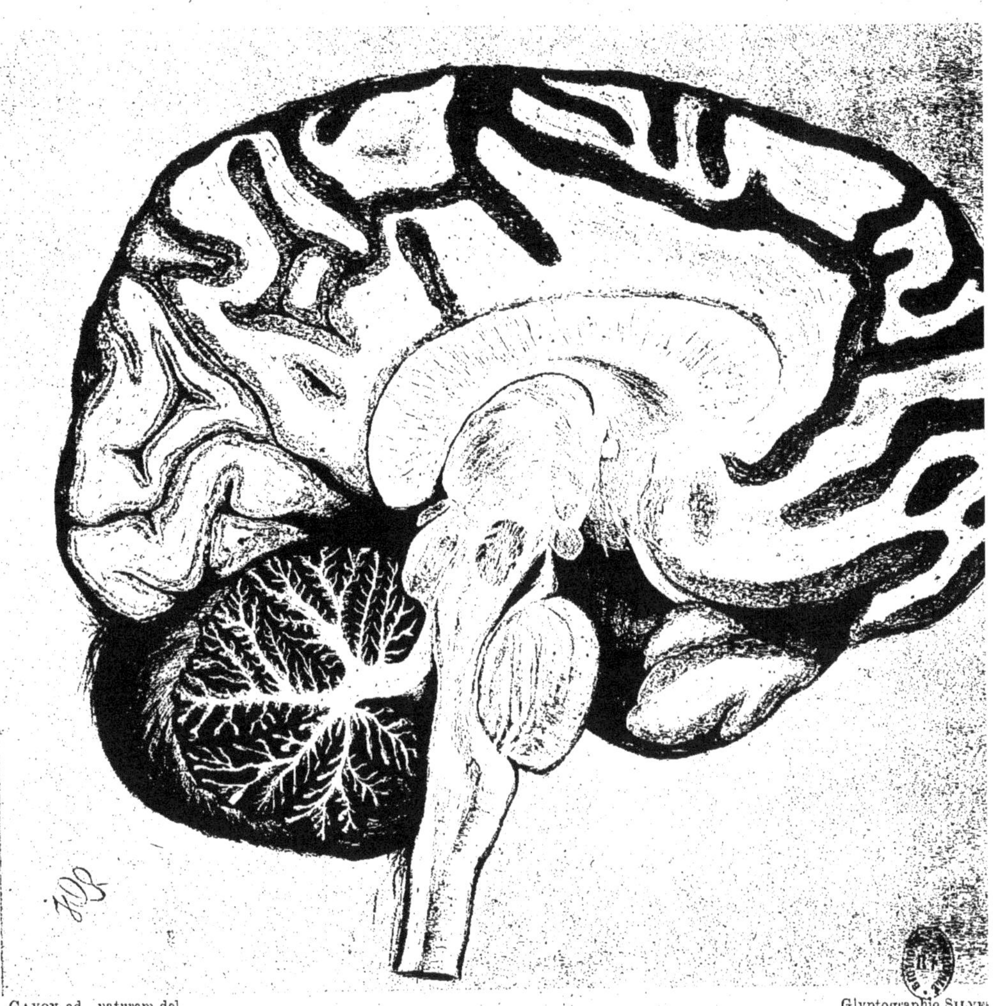

E. GAVOY ad naturam del.

Glyptographie SILVE

Coupe verticale antéro-postérieure, faite sur l'Encéphale précéden
à un millimètre en dehors du plan médian.

LIBRAIRIE J.-B. BAILLIERE ET FILS

PLANCHE IV

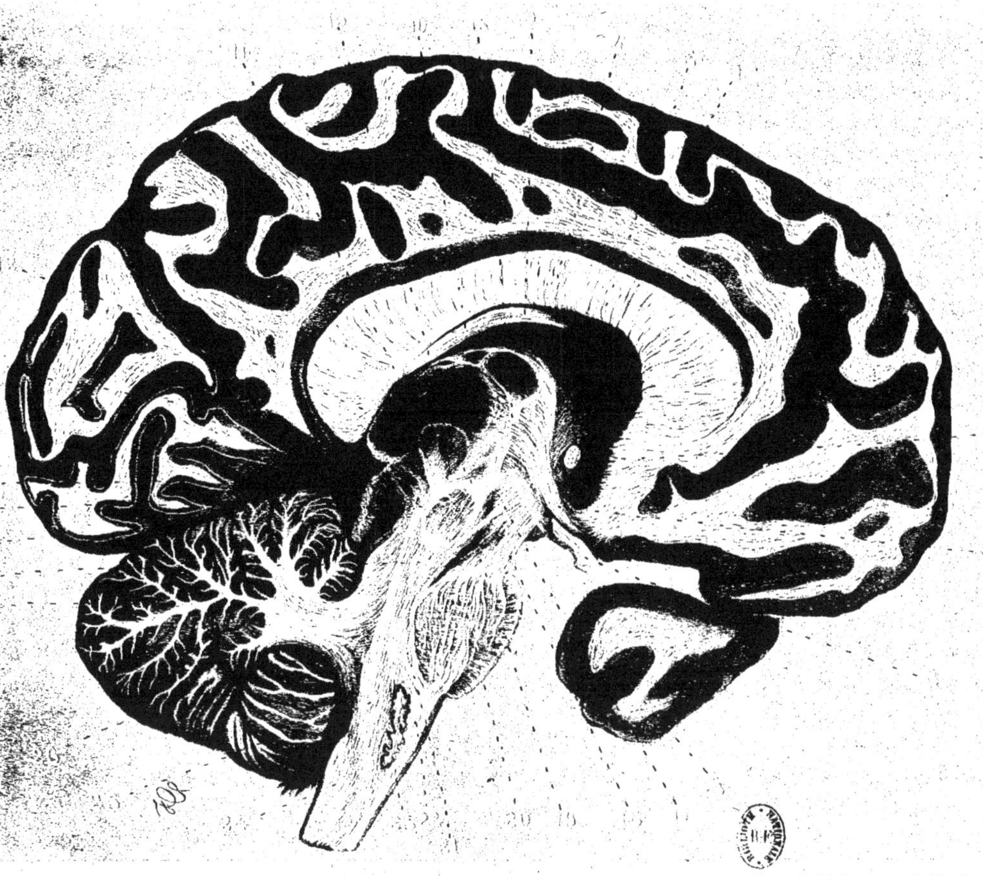

GAVOY ad naturam del. Glyptographie SILVESTRE & Cie, Paris.

Coupe verticale antéro-postérieure, passant par le bord externe des tubercules mamillaires.

LIBRAIRIE J.-B. BAILLIERE ET FILS

PLANCHE V

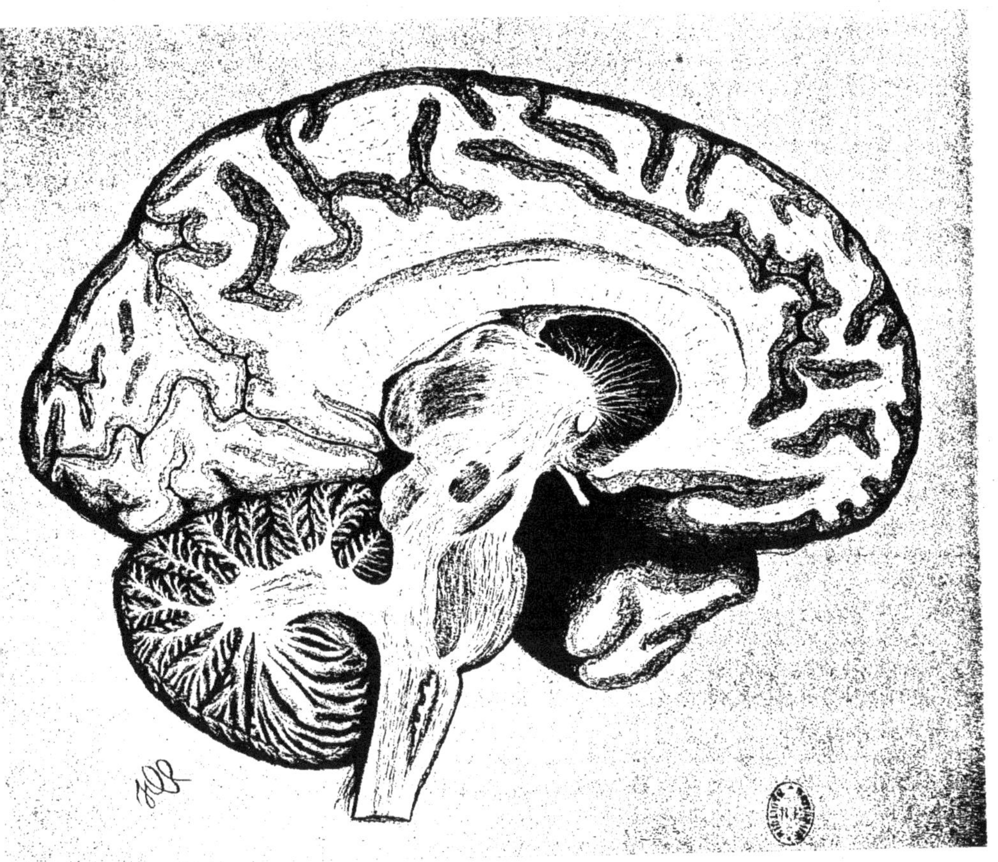

E. GAVOY ad naturam del.

Glyptographie SILVESTRE & Cie, Paris.

ncéphale dont on a détaché la coupe précédente par une section antéro-postérieure de un millimètre d'épaisseur, faite en dehors du plan médian.

PLANCHE VI

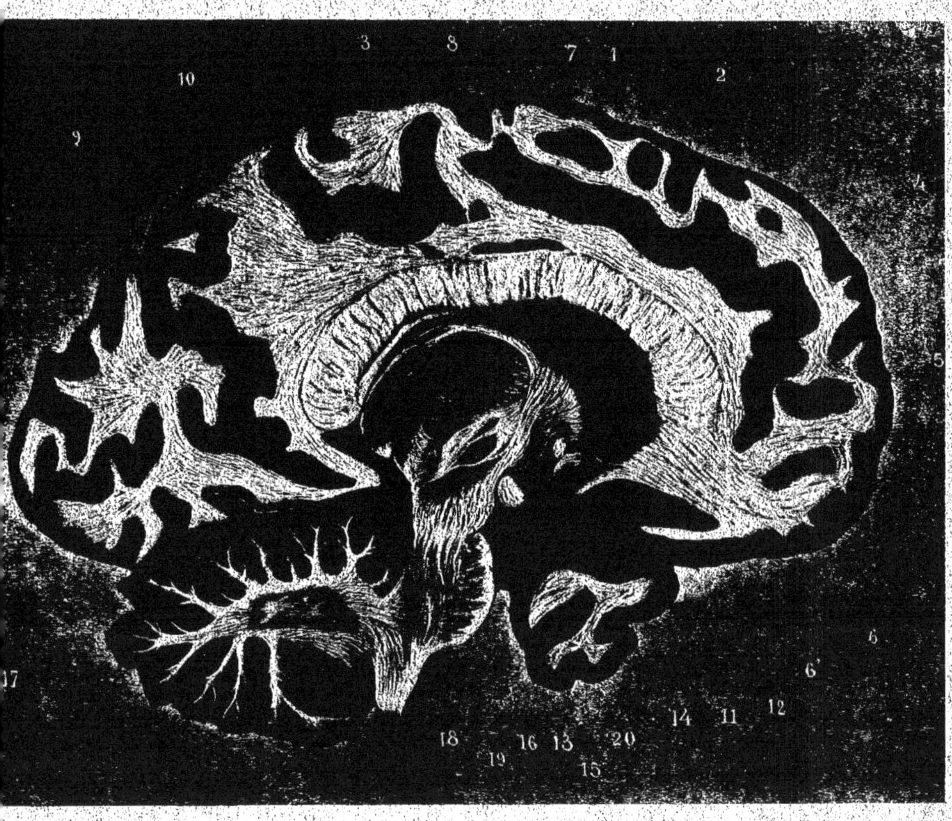

Gavoy ad naturam del.

Glyptographie Silvestre & Cie, Paris.

Coupe verticale antéro-postérieure, passant par l'extrémité antérieure du sillon intermédiaire de la couche optique et du corps strié.

LIBRAIRIE J.-B. BAILLIERE ET FILS

PLANCHE VII

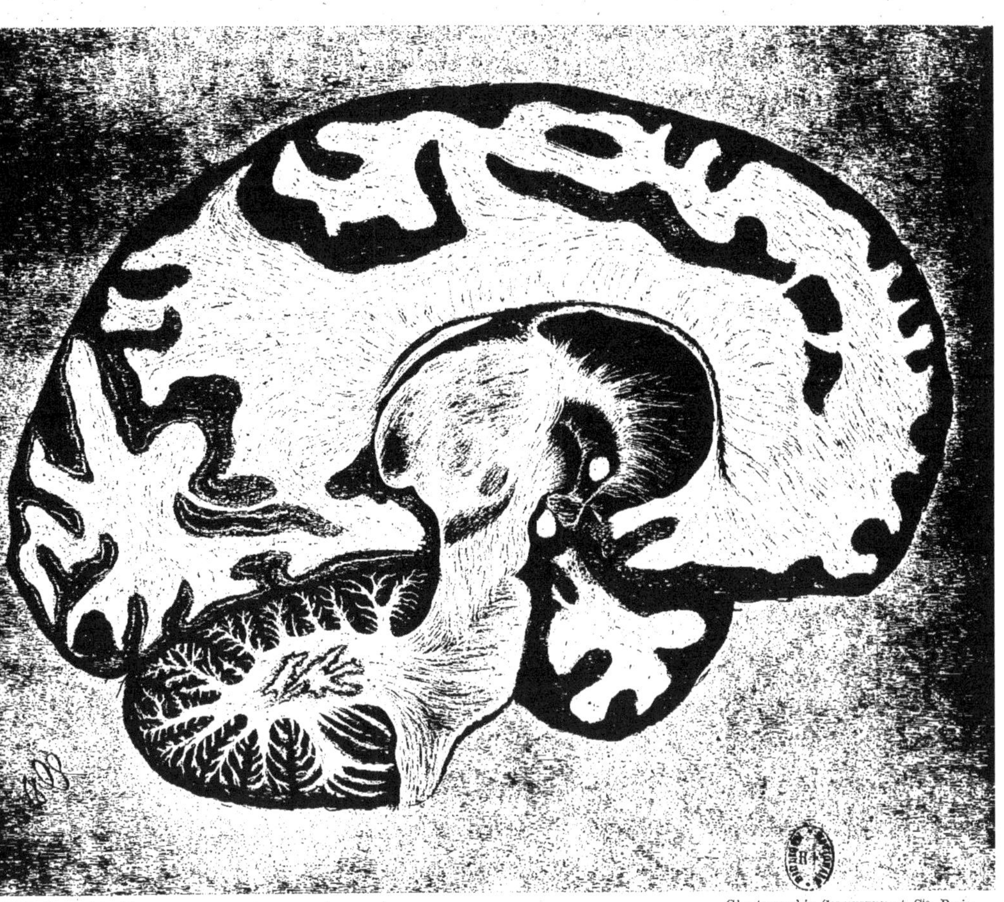

AVOY ad naturam del. Glyptographie SILVESTRE et Cie, Paris.

ɛphale dont on a détaché la coupe précédente par une section antéro-postérieure de un millimètre d'épaisseur, faite en dehors du plan médian.

LIBRAIRIE J.-B. BAILLIÈRE ET FILS

PLANCHE VIII

E. GAVOY ad naturam del.

Glyptographie SILVESTRE & Cie, Pari

Coupe verticale antéro-postérieure, passant par la face externe de la couche optic

LIBRAIRIE J.-B. BAILLIÈRE ET FILS

PLANCHE IX

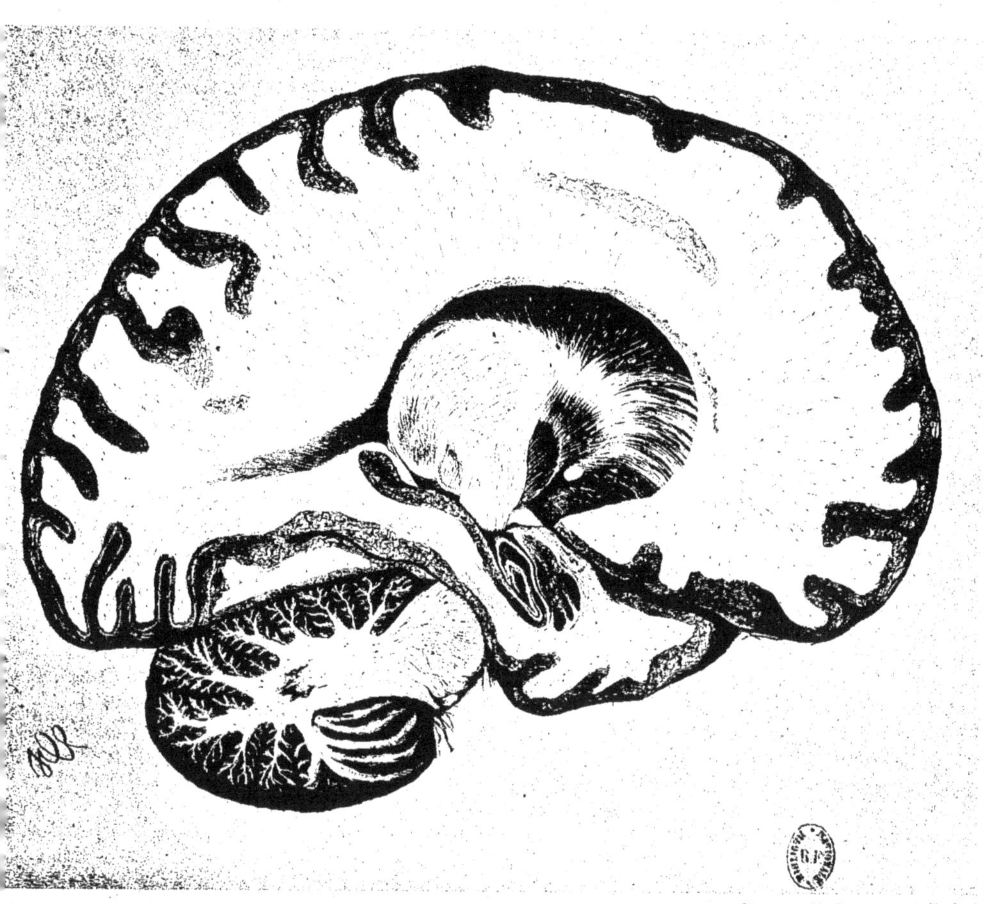

GAVOY ad naturam del.

Glyptographie SILVESTRE et Cie, Paris.

céphale dont on a détaché la ccupe précédente par une section antéro-postérieure de un millimètre d'épaisseur, faite en dehors du plan médian.

PLANCHE X

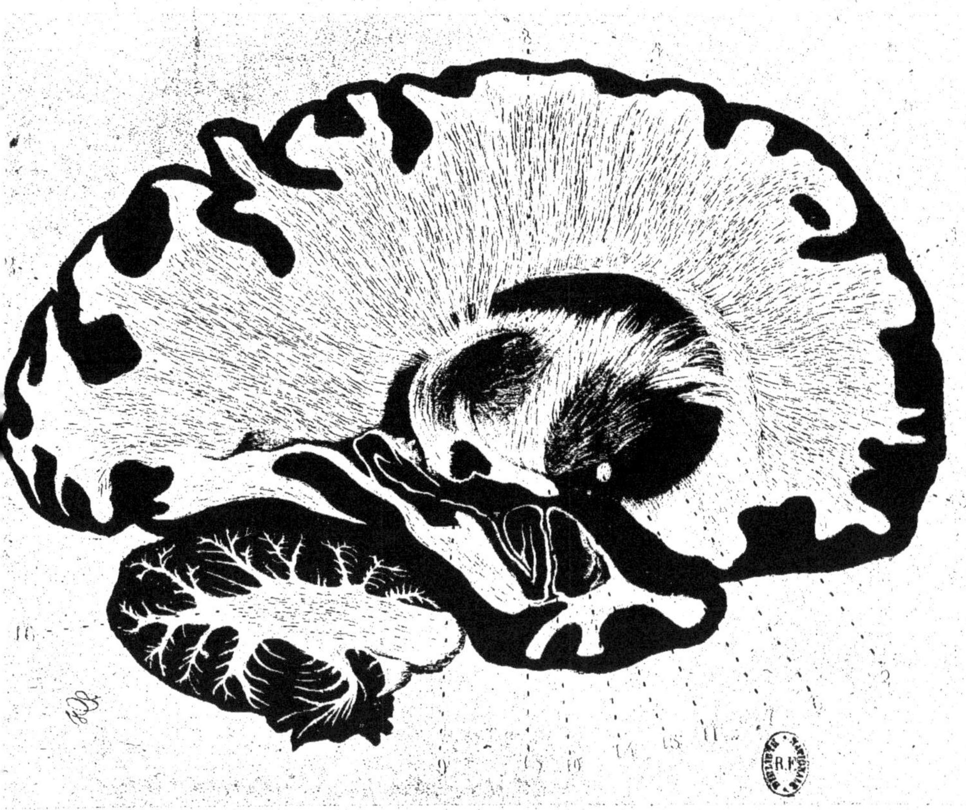

GAVOY ad naturam del. Glyptographie SILVESTRE & Cie, Paris.

upe verticale antéro-postérieure, passant par le bord externe du noyau caudé.

LIBRAIRIE J.-B. BAILLIÈRE ET FILS

PLANCHE XI

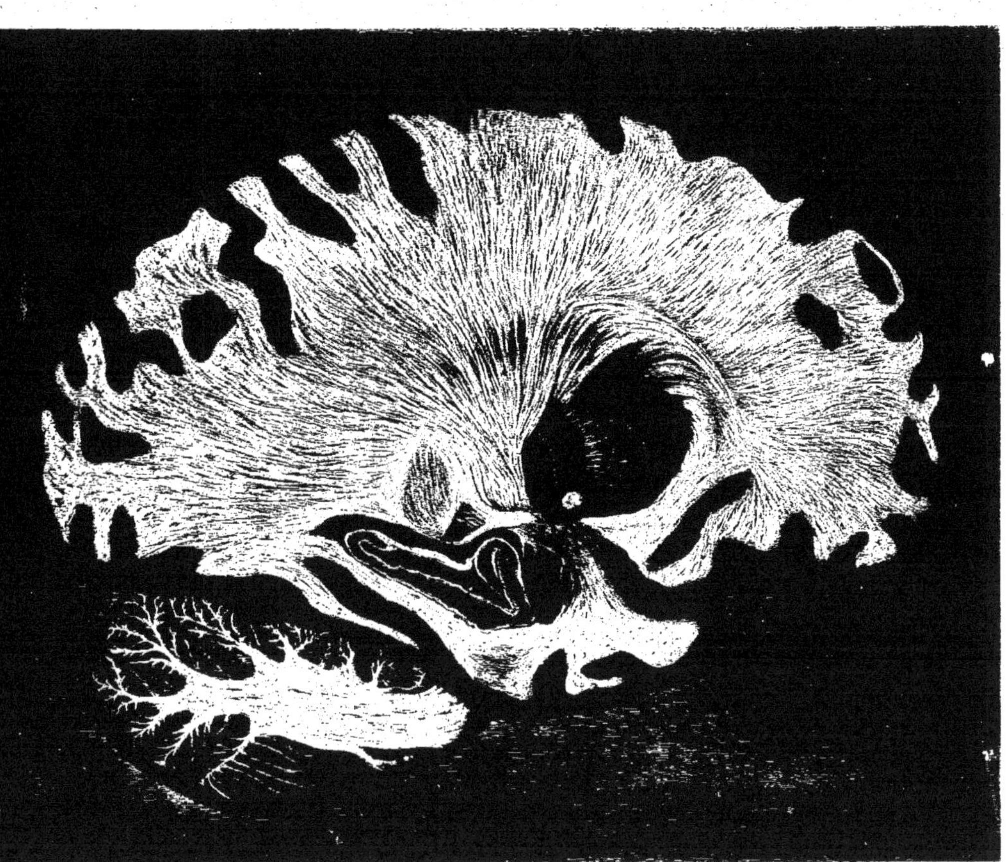

E. Gavoy ad naturam del. Glyptographie Silvestre et Cie, Paris.

ncéphale dont on a détaché la coupe précédente par une section antéro-postérieure de un millimètre d'épaisseur, faite en dehors du plan médian.

LIBRAIRIE J.-B. BAILLIÈRE ET FILS

PLANCHE XII

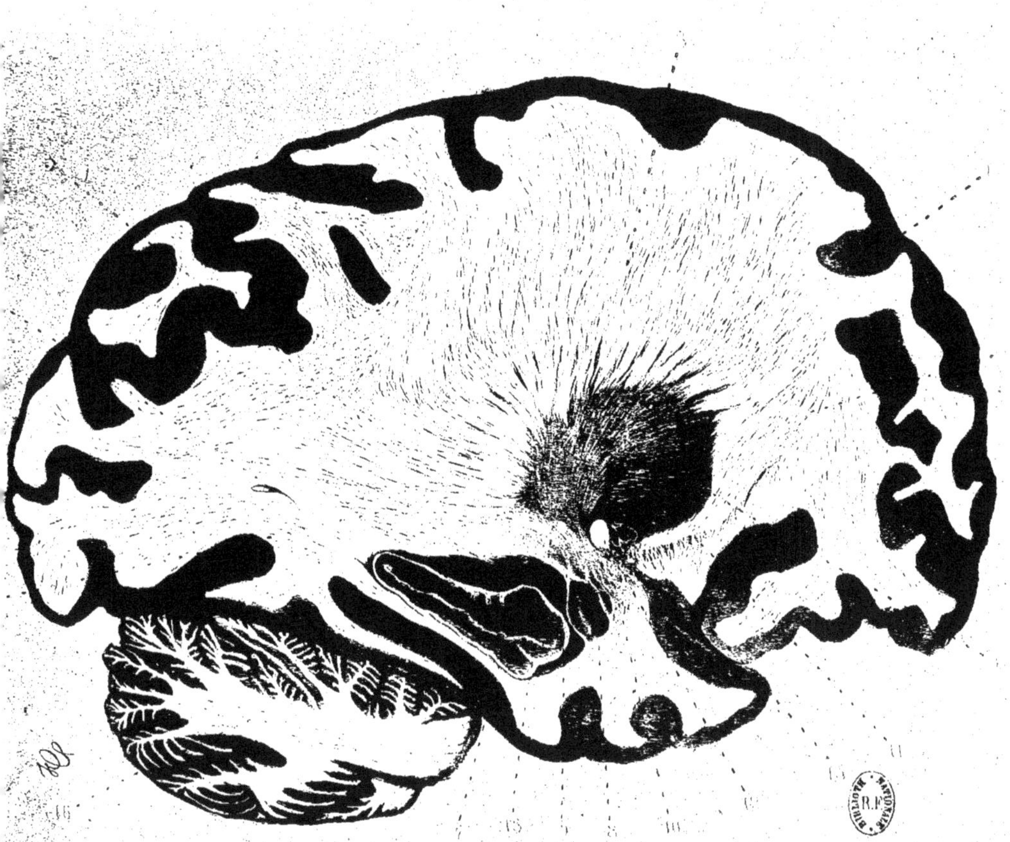

E. GAVOY ad naturam del.

Glyptographie SILVESTRE & Cie, Paris.

verticale antéro-postérieure passant au niveau de la région moyenne du noyau lenticula

LIBRAIRIE J.-B. BAILLIÈRE ET FILS

PLANCHE XIII

GAVOY ad naturam del. Glyptographie SILVESTRE et Cie, Paris.

céphale dont on a détaché la coupe précédente par une section antéro-postérieure de un millimètre d'épaisseur, faite en dehors du plan médian.

PLANCHE XIV

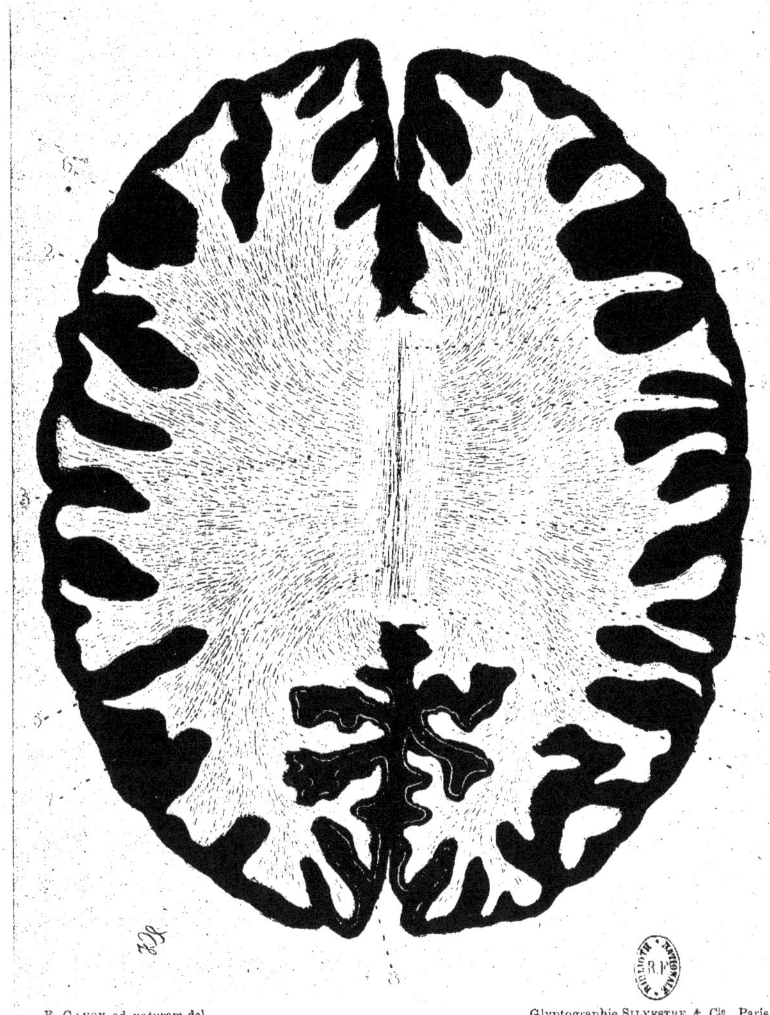

E. GAVOY ad naturam del.

Glyptographie SILVESTRE & Cie, Paris.

Coupe horizontale antéro-postérieure, passant au niveau de la face supérieure du corps calleux.

LIBRAIRIE J.-B. BAILLIÈRE ET FILS

PLANCHE XV

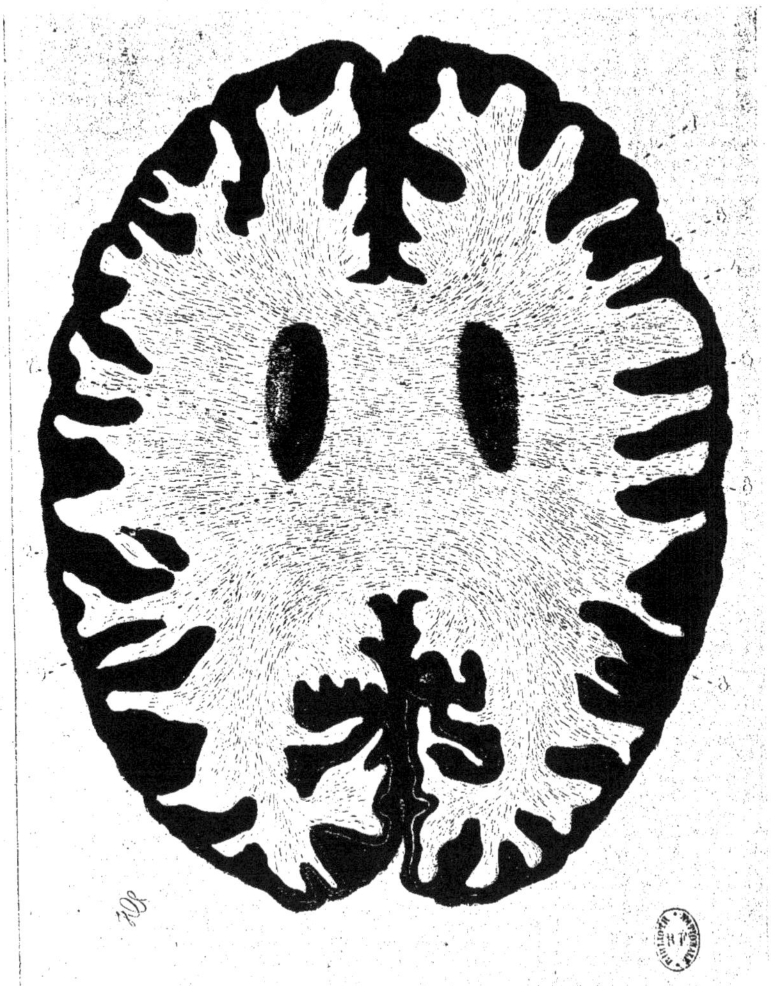

E. GAVOY ad naturam del.

Glyptographie SILVESTRE et Cie, Paris.

Coupe horizontale antéro-postérieure, passant par la région moyenne du corps calleux.

PLANCHE XVI

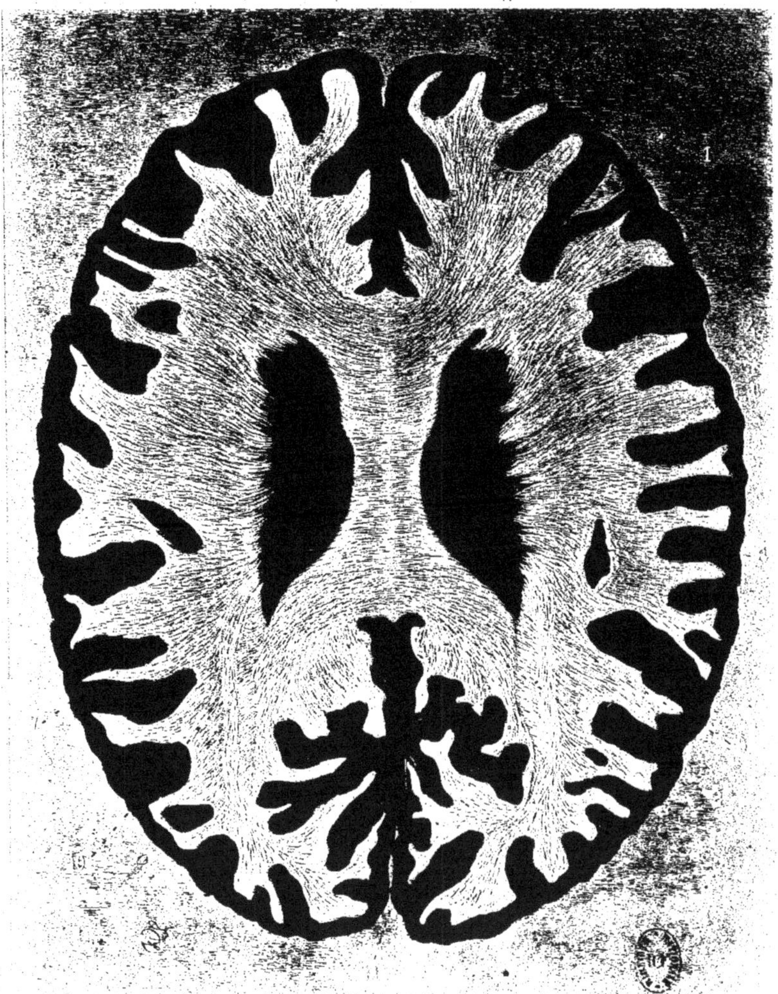

E. GAVOY ad naturam del.

Glyptographie SILVESTRE & Cie, Paris.

Coupe horizontale antéro-postérieure, passant au niveau de la région moyenne du noyau caudé.

LIBRAIRIE J.-B. BAILLIÈRE ET FILS

PLANCHE XVII

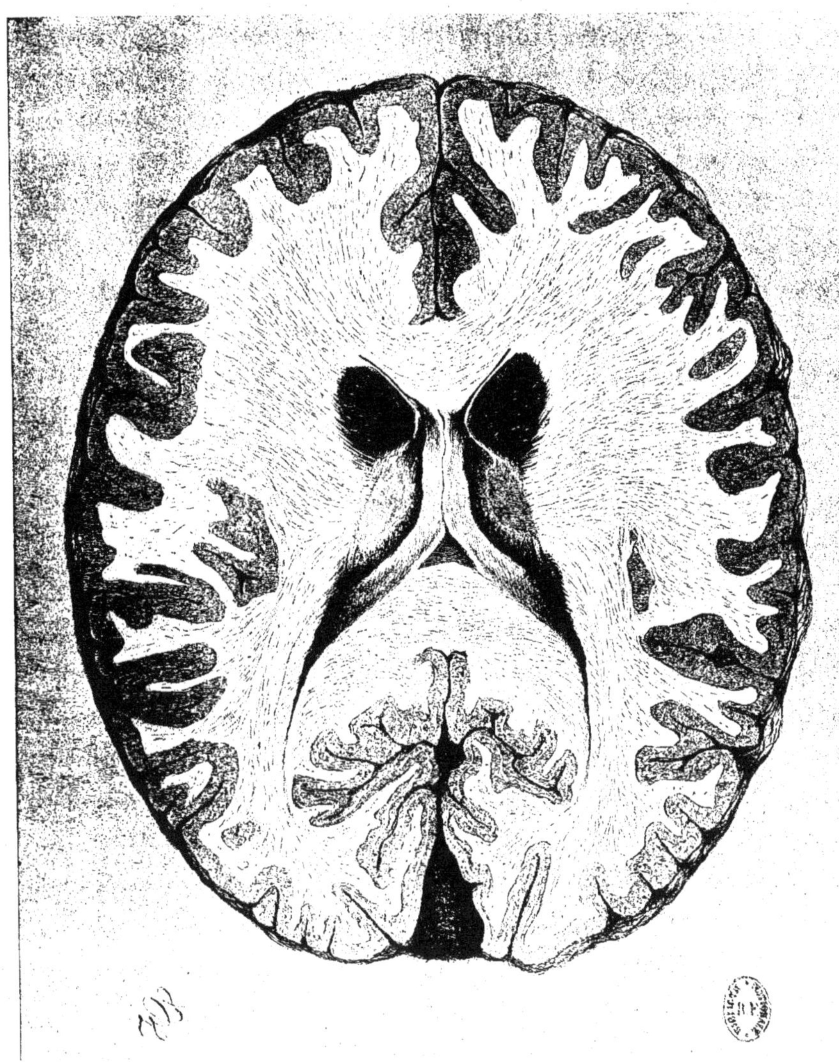

E. GAVOY ad naturam del. Glyptographie SILVESTRE et Cie, Paris.

Encéphale dont on a détaché la coupe précédente par une section horizontale antéro-postérieure de un millimètre d'épaisseur, faite des régions supérieures vers la base du cerveau.

PLANCHE XVIII

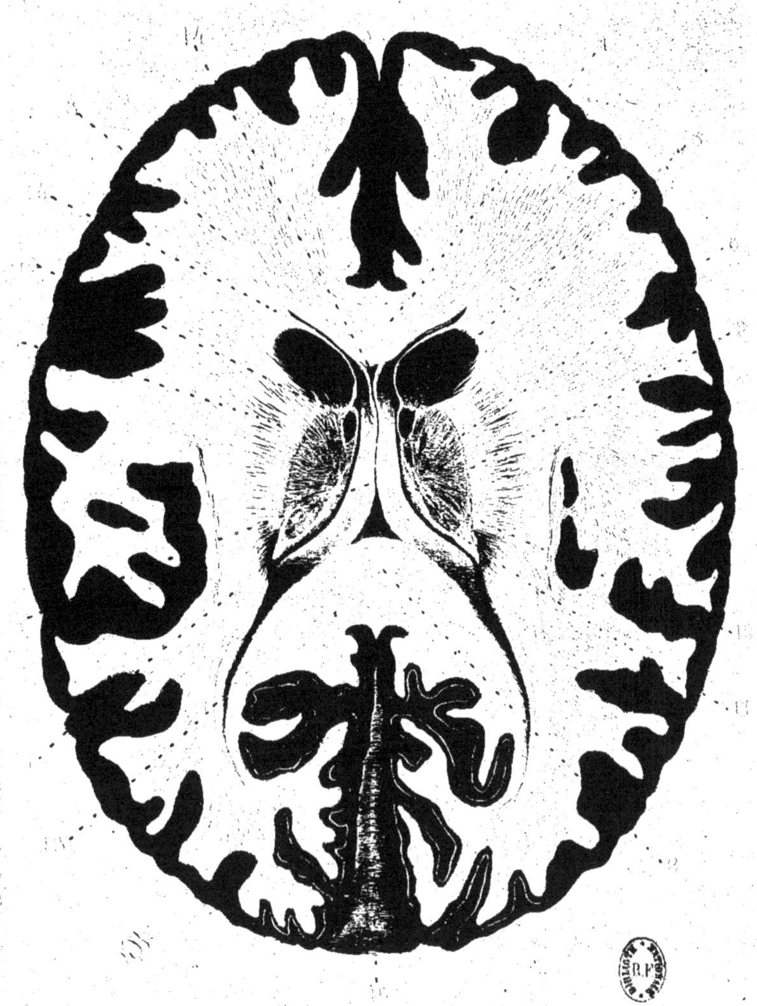

E. GAVOY ad naturam del. Glyptographie SILVESTRE et Cie, Paris.

Coupe horizontale antéro-postérieure, passant au niveau de la région supérieure de la couche optique.

LIBRAIRIE J.-B. BAILLIÈRE ET FILS

PLANCHE XIX

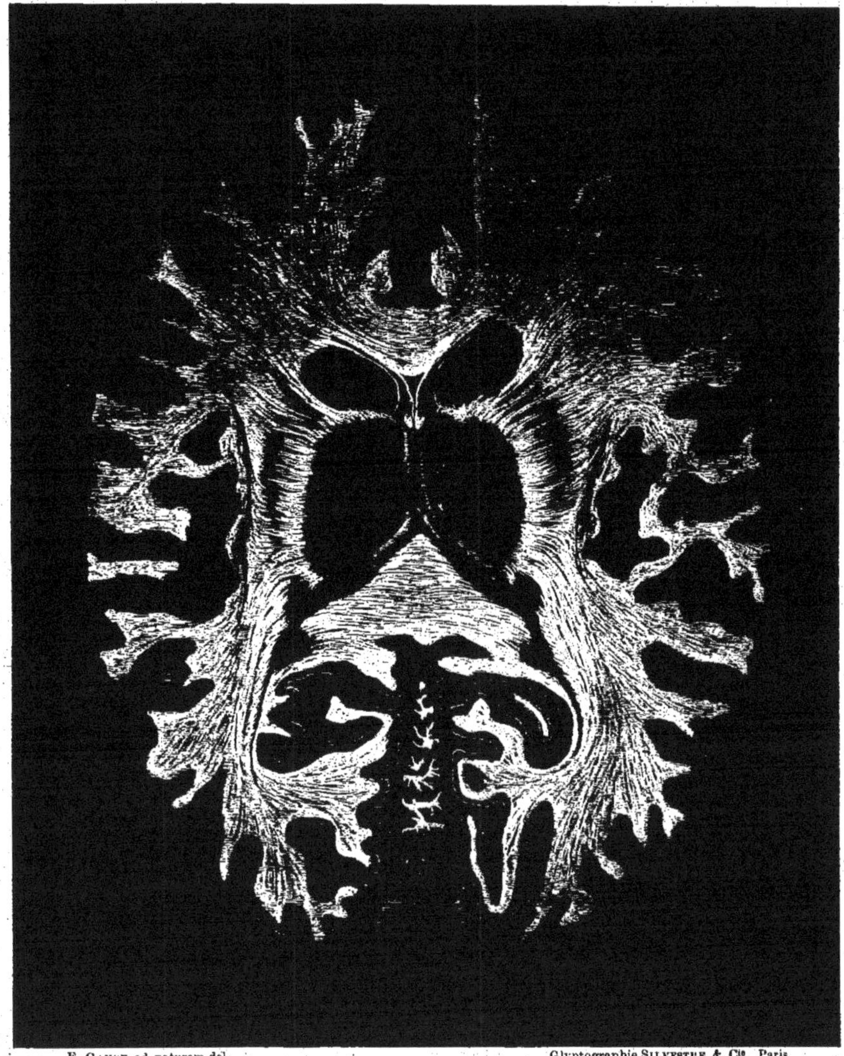

E. GAVOY ad naturam del. Glyptographie SILVESTRE & Cie, Paris.

Encéphale dont on a détaché la coupe précédente par une section horizontale antéro-postérieure de un millimètre d'épaisseur, faite des régions supérieures vers la base du cerveau.

PLANCHE XX

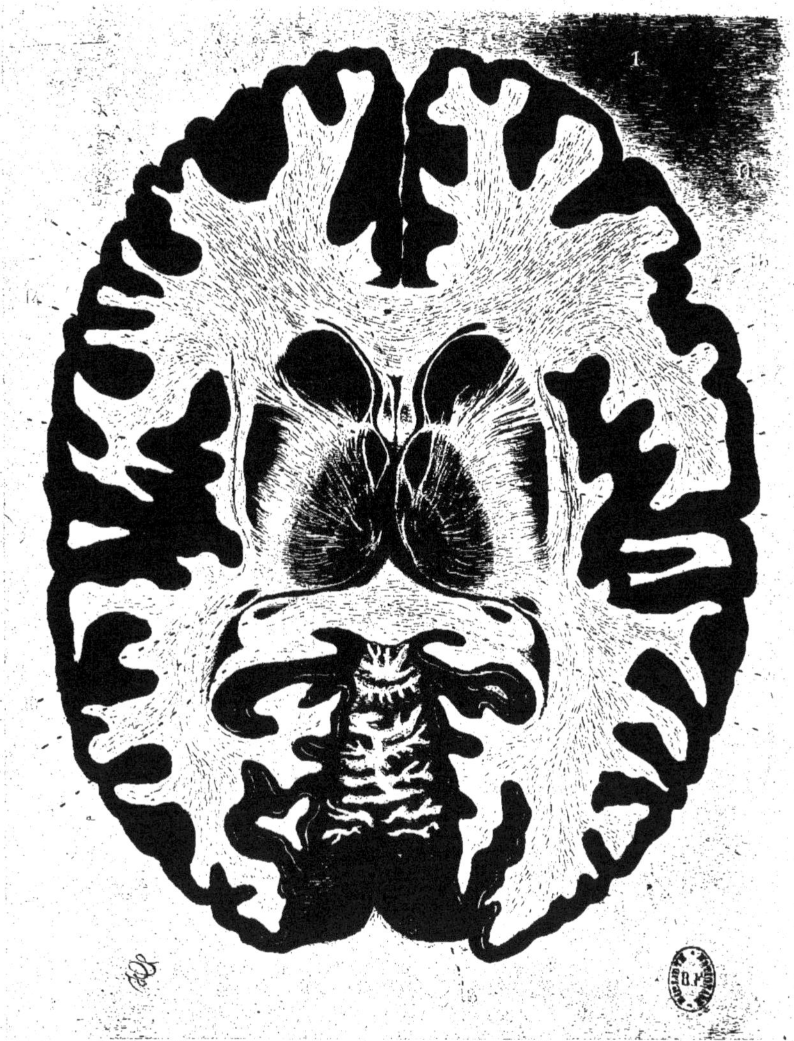

E. GAVOY ad naturam del. Glyptographie SILVESTRE et Cie, Paris.

Coupe horizontale antéro-postérieure, passant au niveau de la région supérieure du noyau lenticulaire.

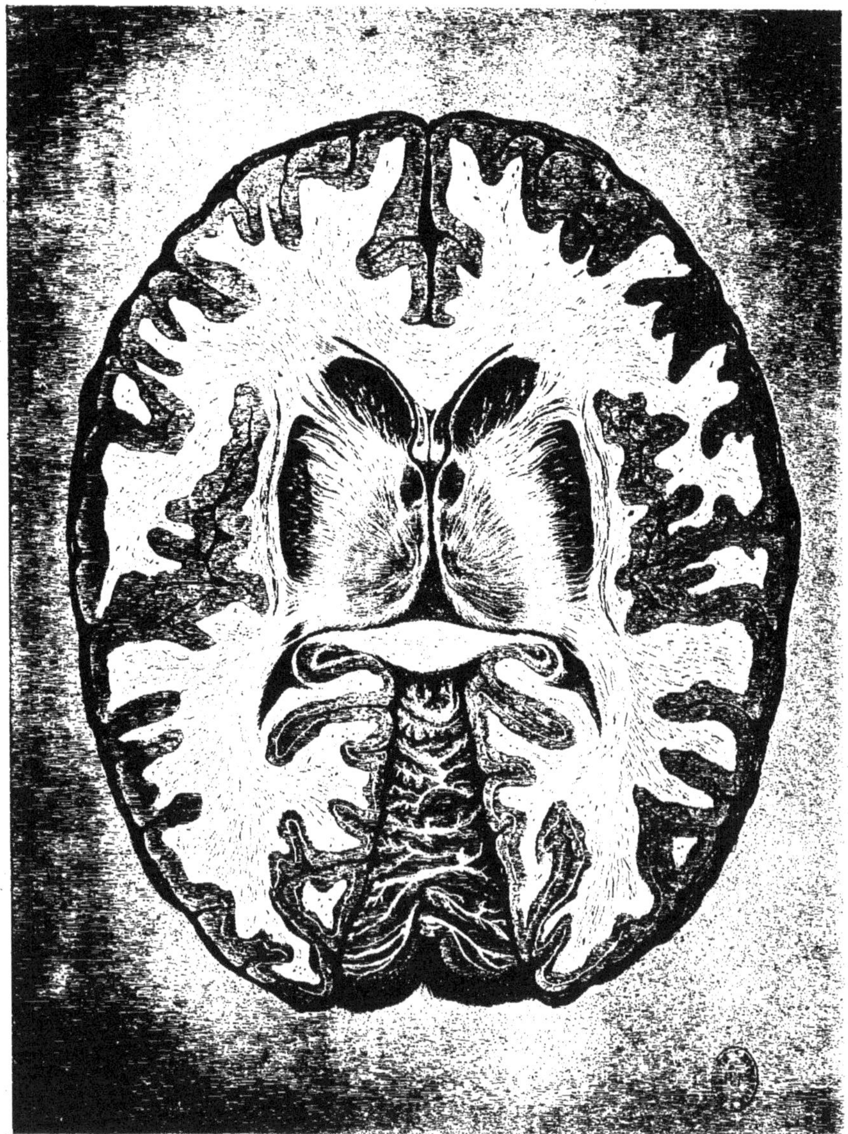

E. GAVOY ad naturam del. Glyptographie SILVESTRE & Cie, Paris.

Encéphale dont on a détaché la coupe précédente par une section antéro-postérieure de un millimètre d'épaisseur, faite des régions supérieures vers la base du cerveau.

PLANCHE XXII

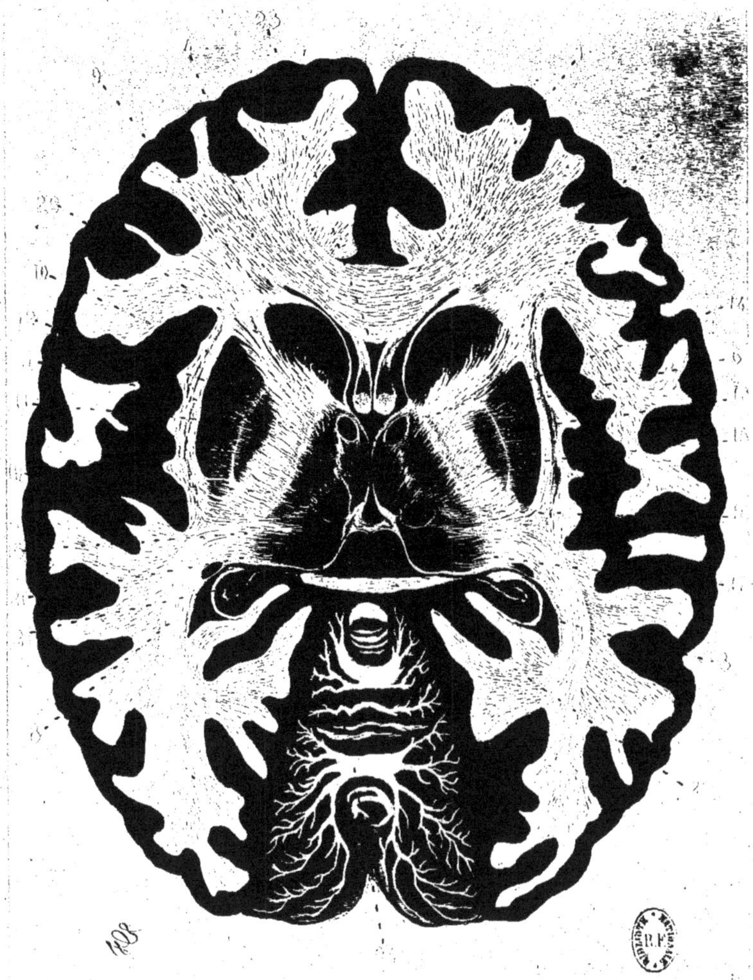

E. GAVOY ad naturam del. Glyptographie SILVESTRE et Cie, Paris.

Coupe horizontale antéro-postérieure passant sur le bord supérieur de la commissure blanche postérieure.

PLANCHE XXIII

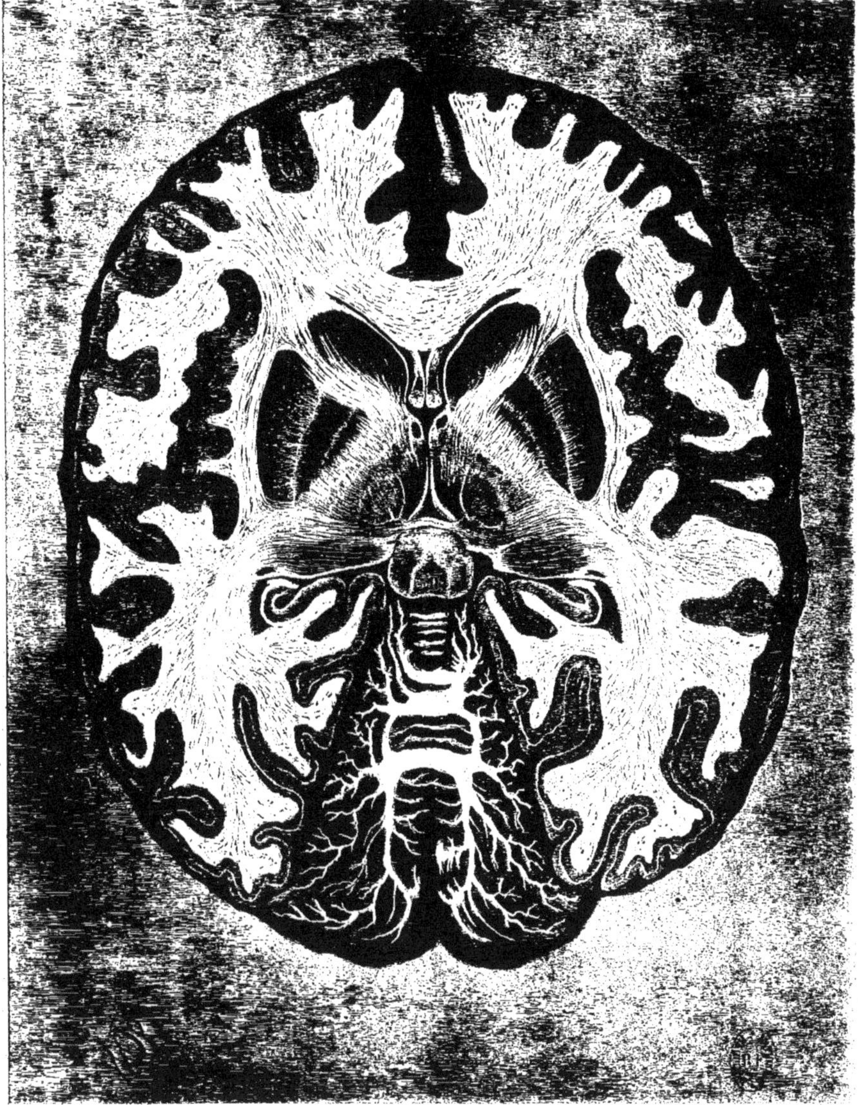

E. GAVOY ad naturam del. Glyptographie SILVESTRE & Cie, Paris.

Encéphale dont on a détaché la coupe précédente par une section horizontale antéro-postérieure de un millimètre d'épaisseur, faite des régions supérieures vers la base du cerveau.

PLANCHE XXIV

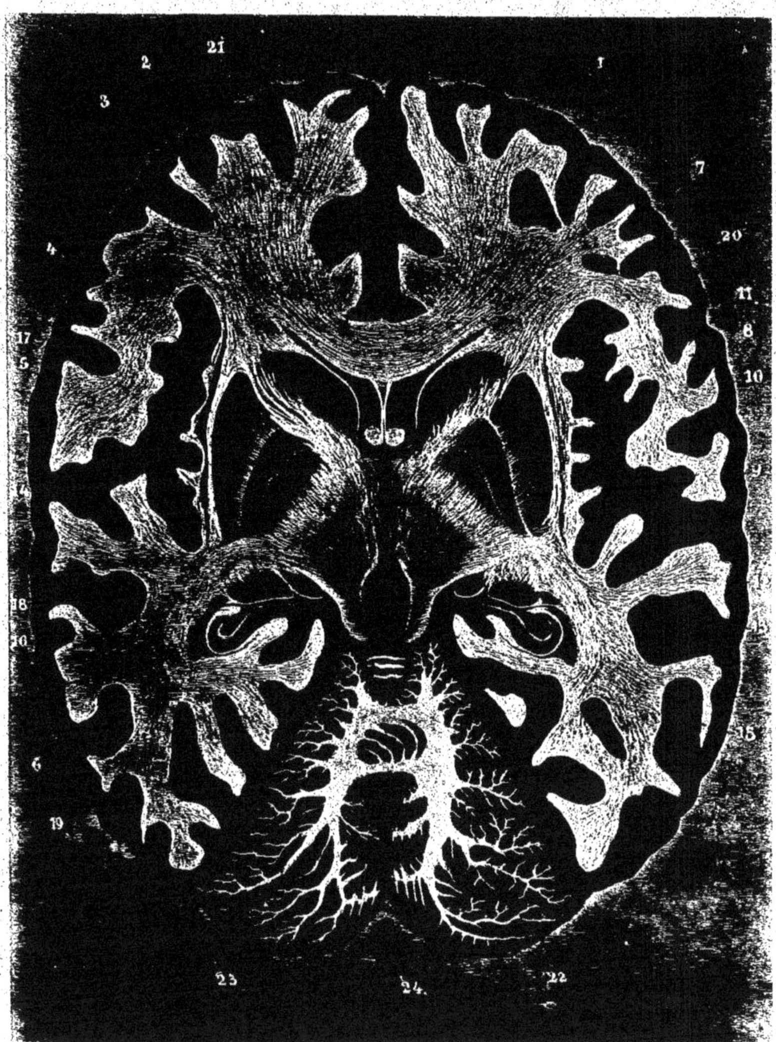

E. GAVOY ad naturam del. Glyptographie SILVESTRE et Cie, Paris.

Coupe horizontale antéro-postérieure, passant au niveau des tubercules quadrijumeaux postérieurs.

PLANCHE XXV

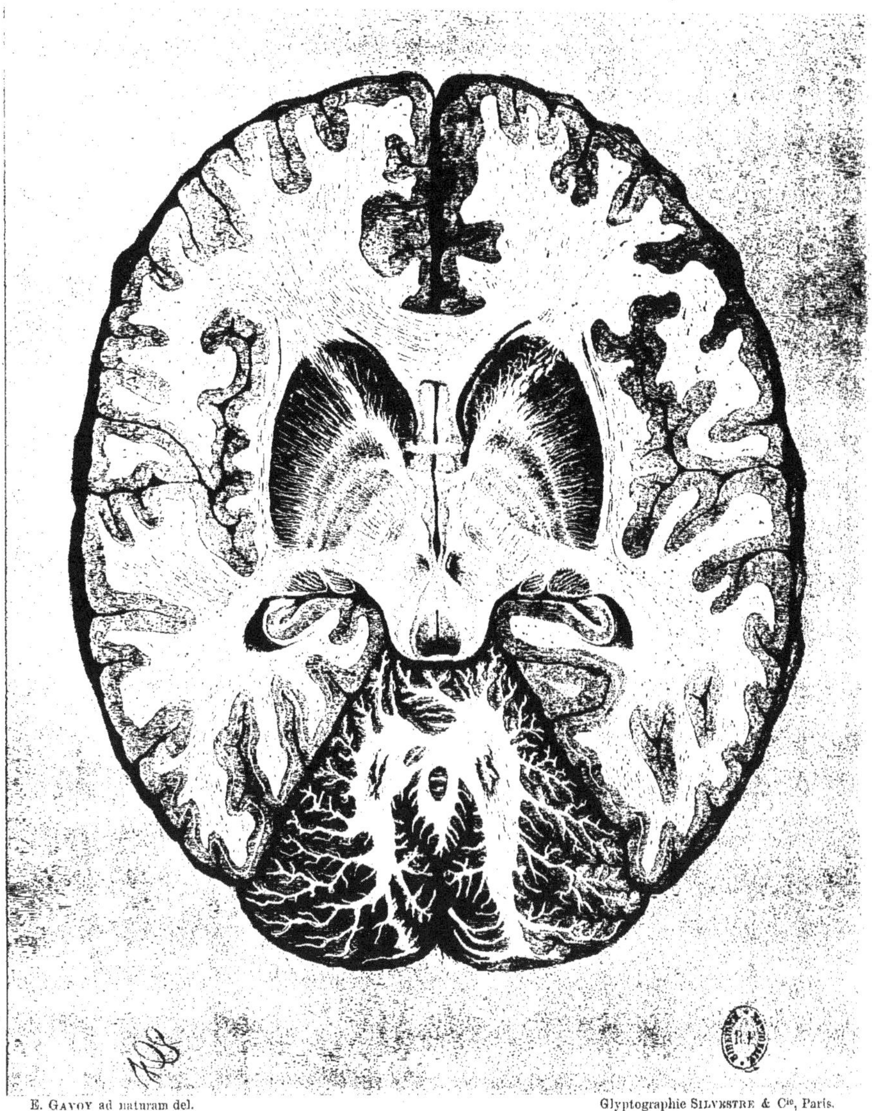

E. GAVOY ad naturam del. Glyptographie SILVESTRE & Cie, Paris.

Encéphale dont on a détaché la coupe précédente par une section horizontale antéro-postérieure de un millimètre d'épaisseur, faite des régions supérieures vers la base du cerveau.

PLANCHE XXVI

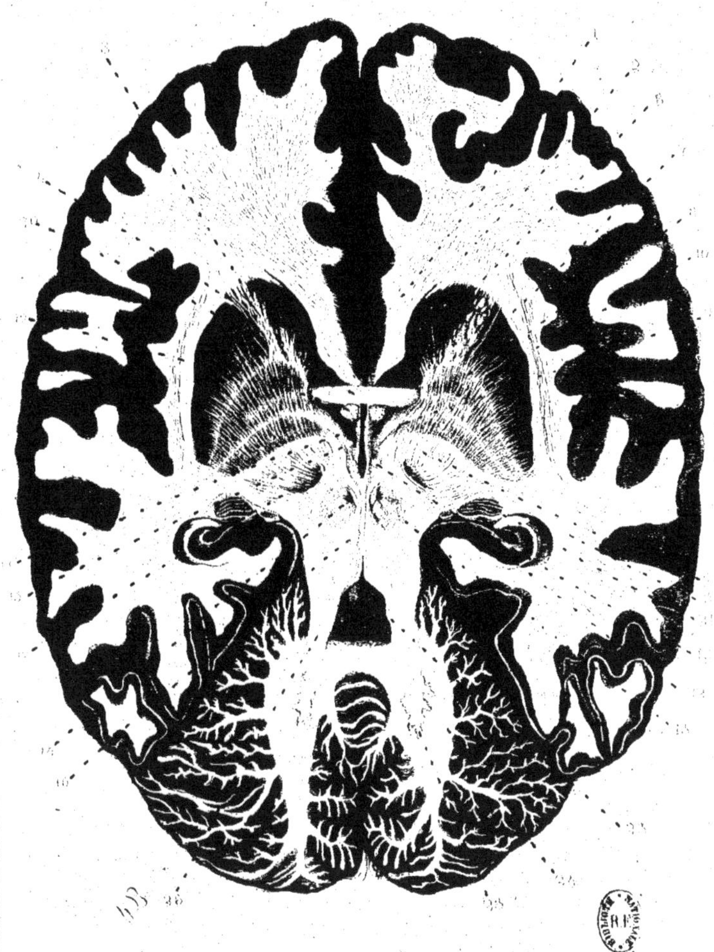

E. GAVOY ad naturam del. Glyptographie SILVESTRE & Cie, Paris.

Coupe horizontale antéro-postérieure, passant au niveau de la commissure blanche antérieure.

LIBRAIRIE J.-B. BAILLIÈRE ET FILS

PLANCHE XXVII

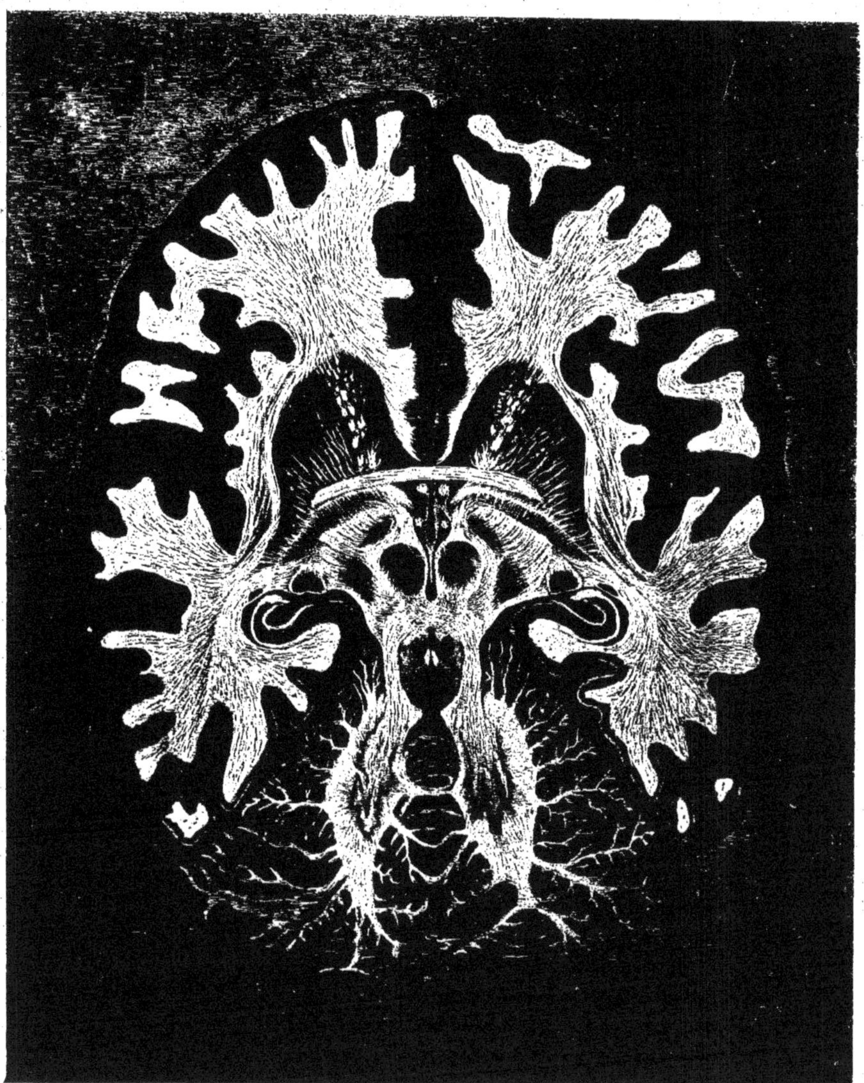

E. GAVOY ad naturam del.

Glyptographie SILVESTRE & Cie, Paris.

Encéphale dont on a détaché la coupe précédente par une section horizontale antéro-postérieure de un millimètre d'épaisseur, faite des régions supérieures vers la base du cerveau.

PLANCHE XXVIII

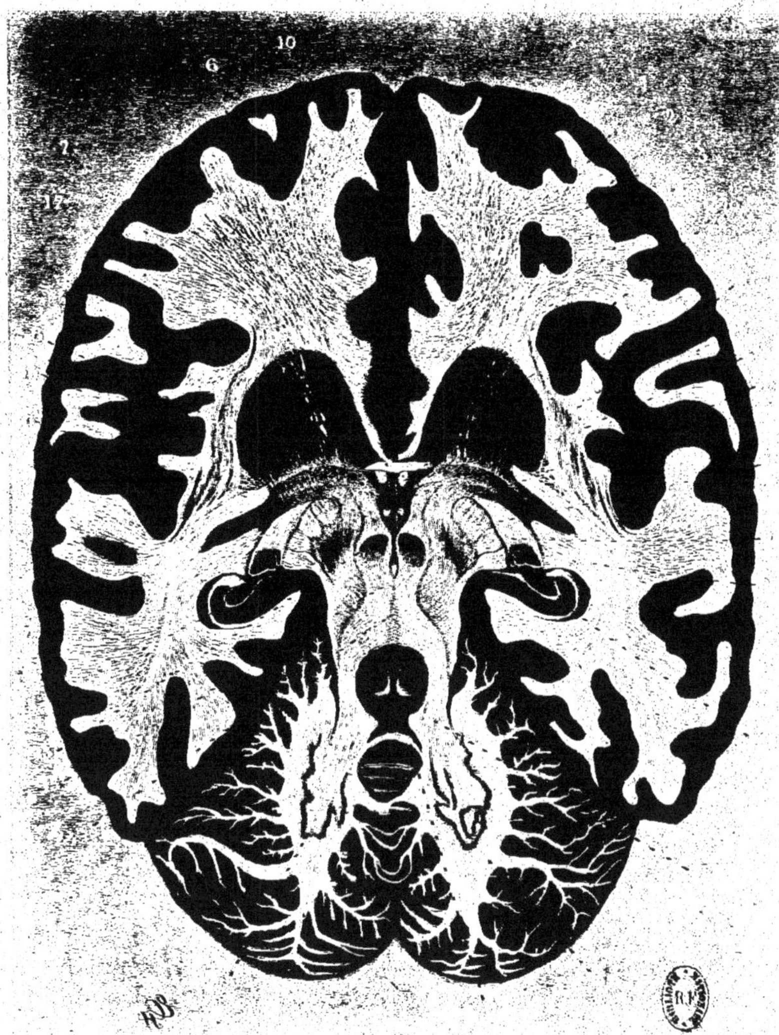

E. GAVOY ad naturam del.

Glyptographie SILVESTRE et Cie, Paris.

Coupe horizontale antéro-postérieure, passant au niveau du bord inférieur de la commissure blanche antérieure.

PLANCHE XXIX

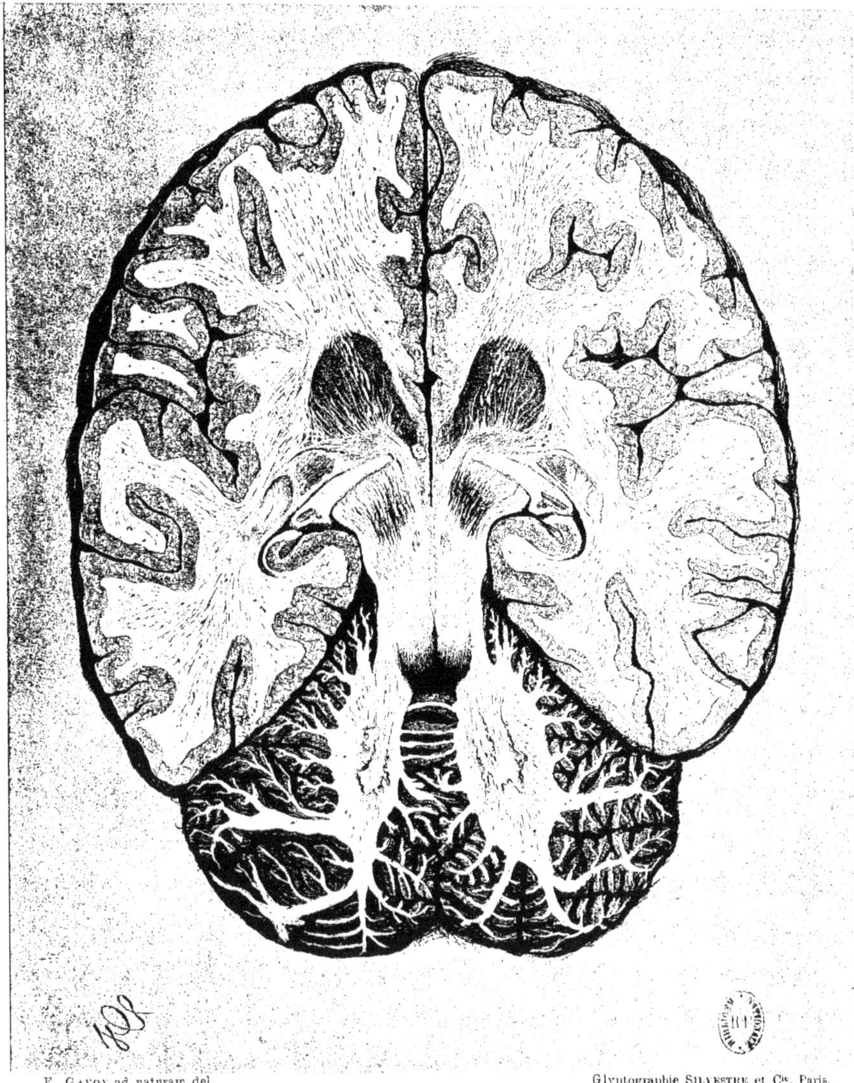

E. Gavoy ad naturam del. — Glyptographie Silvestre et Cie, Paris.

Encéphale dont on a détaché la coupe précédente par une section horizontale antéro-postérieure de un millimètre d'épaisseur, faite des régions supérieures vers la base du cerveau.

LIBRAIRIE J.-B. BAILLIÈRE ET FILS

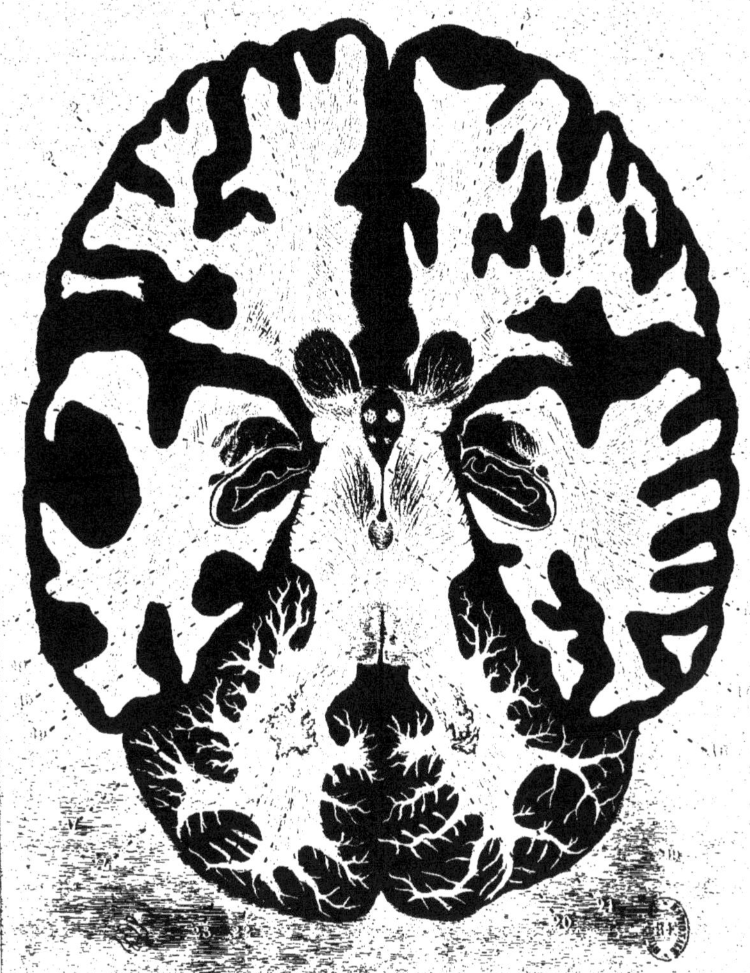

E. GAVOY ad naturam del. Glyptographie SILVESTRE et Cie, Paris.

Coupe horizontale antéro-postérieure, passant au-dessus du Tuber cinereum.

PLANCHE XXXI

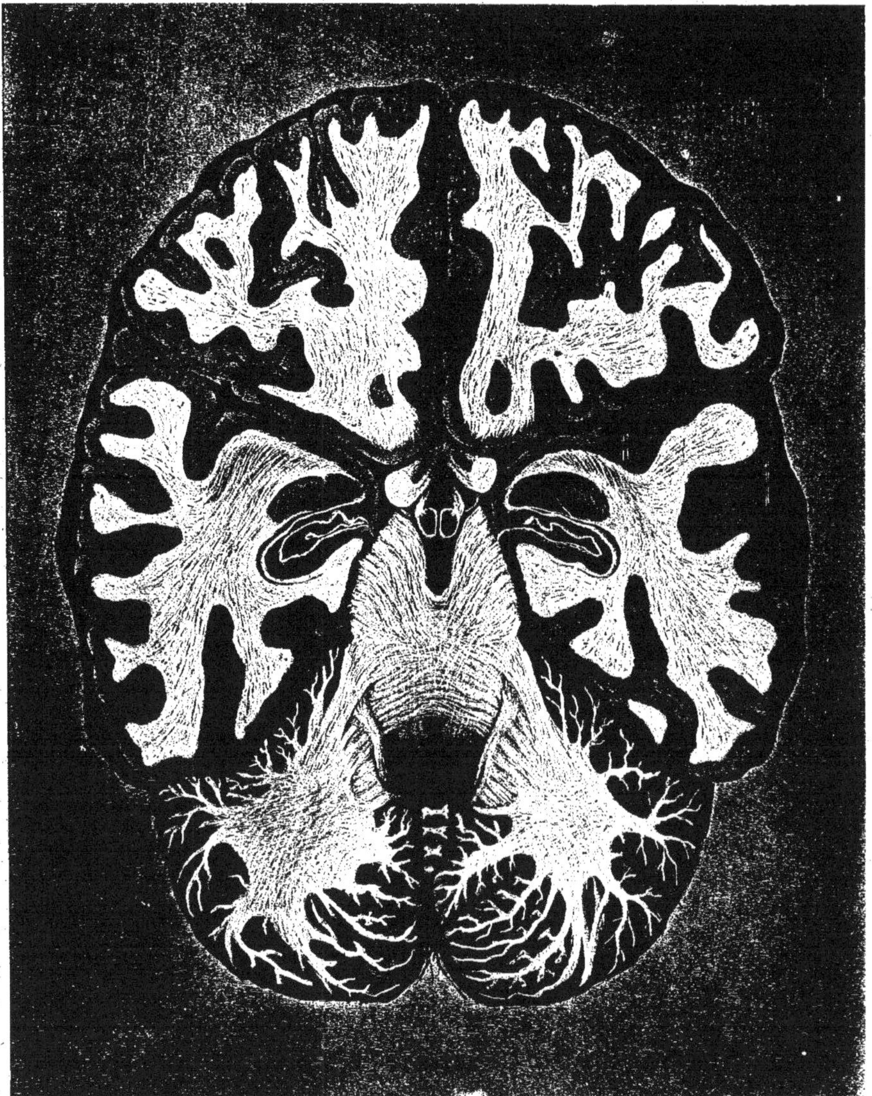

E. GAVOY ad naturam del. Glyptographie SILVESTRE et Cie, Paris.

Encéphale dont on a détaché la coupe précédente par une section horizontale antéro-postérieure de un millimètre d'épaisseur, faite des régions supérieures vers la base du cerveau.

PLANCHE XXXII

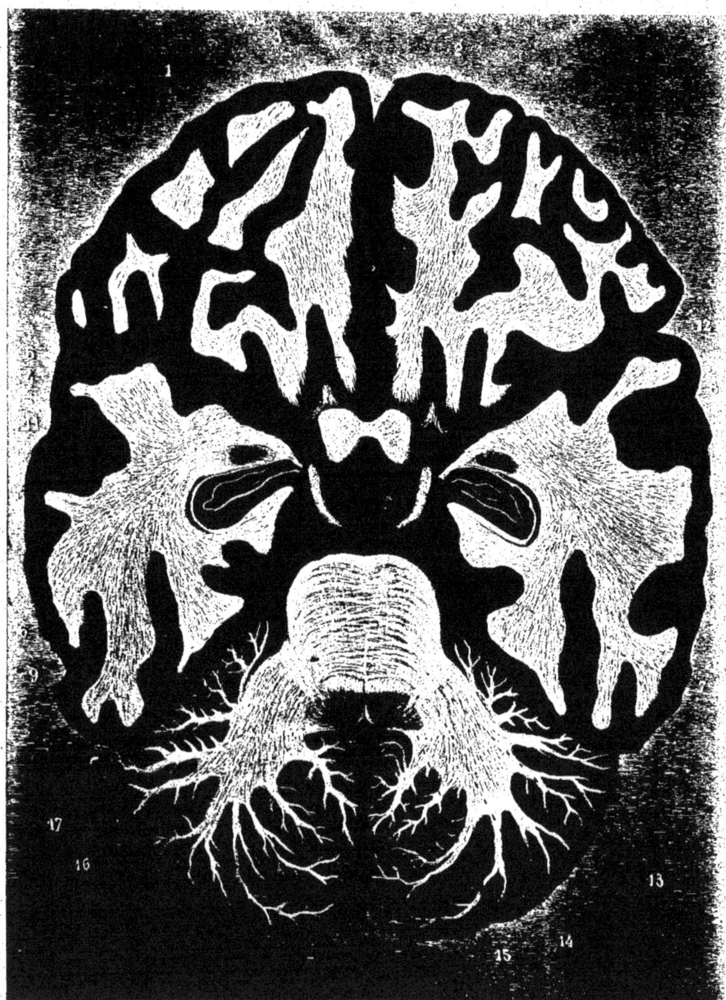

E. GAVOY ad naturam del. — Glyptographie SILVESTRE & Cie, Paris.

La coupe précédente est détachée de l'encéphale par une section horizontale de un millimètre d'épaisseur, passant au niveau de la région supérieure de la protubérance annulaire, puis cette coupe est renversée sur sa face supérieure.

LIBRAIRIE J.-B. BAILLIÈRE ET FILS

PLANCHE XXXIII

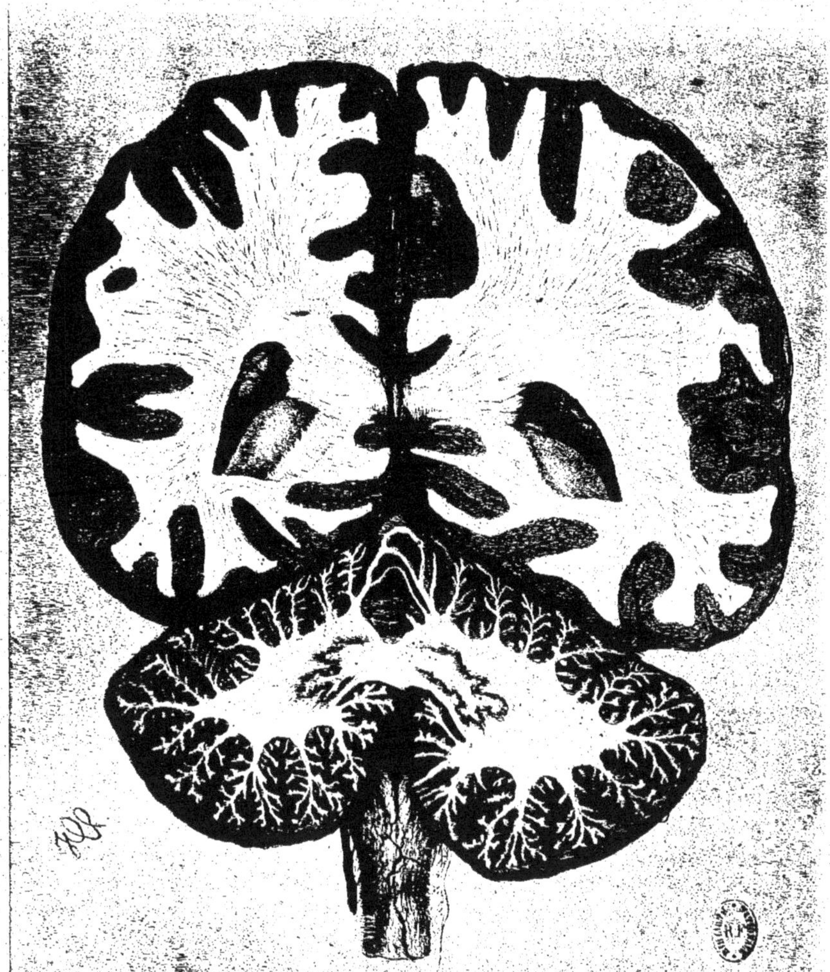

E. GAVOY ad naturam del. Glyptographie SILVESTRE et Cie, Paris.

Coupe verticale transverse passant par le bourrelet du corps calleux.

LIBRAIRIE J.-B. BAILLIÈRE ET FILS

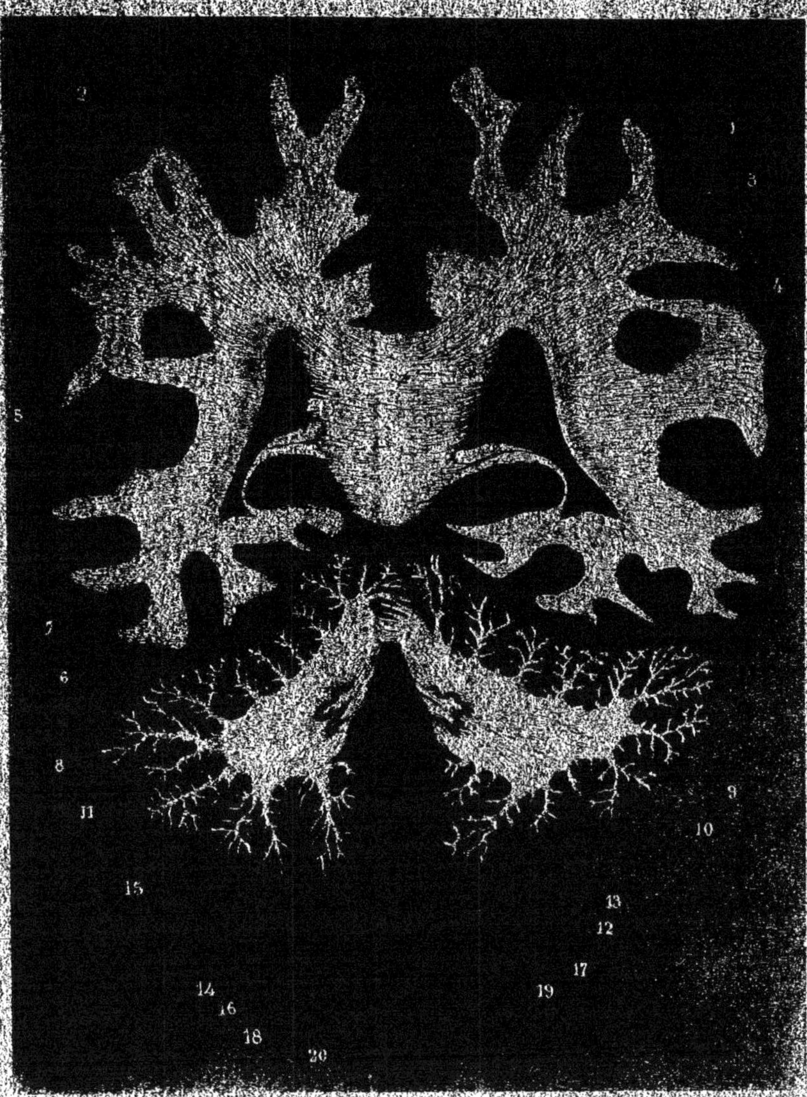

Coupe verticale transverse, passant dans l'épaisseur du bourrelet du corps calleux.

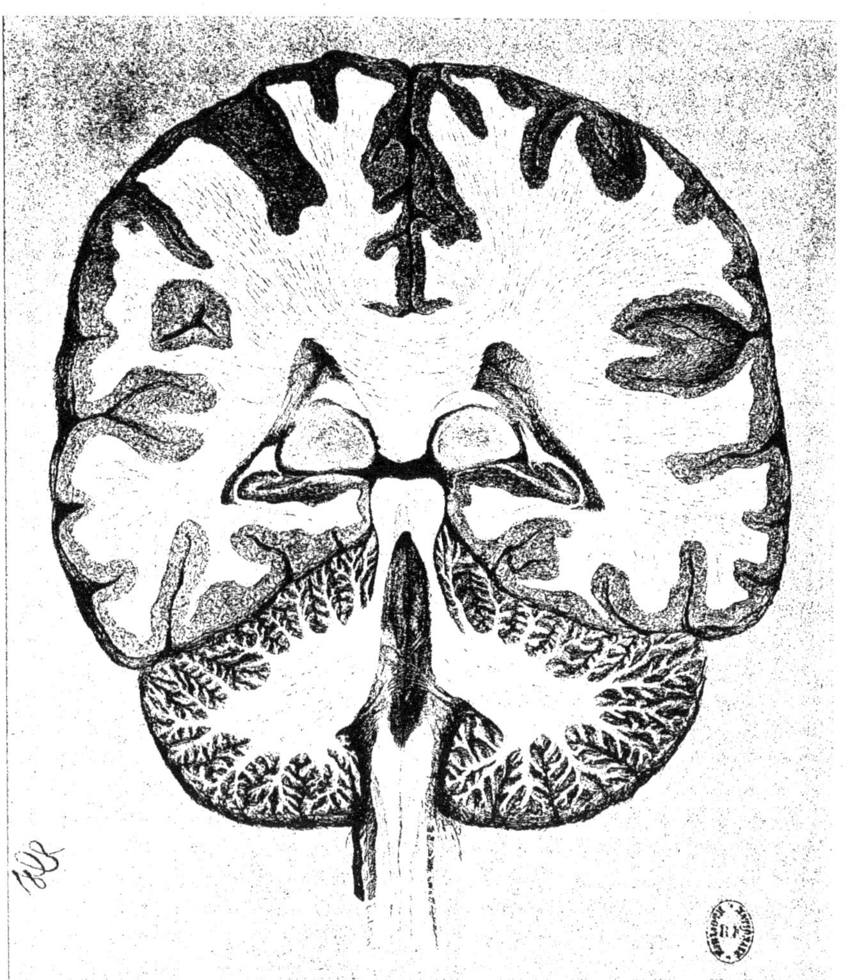

E. GAVOY ad naturam del.

Glyptographie SILVESTRE et Cie, Paris.

Encéphale dont on a détaché la coupe précédente par une section verticale transverse de un millimètre d'épaisseur, faite des régions postérieures vers le genou du corps calleux.

PLANCHE XXXVI

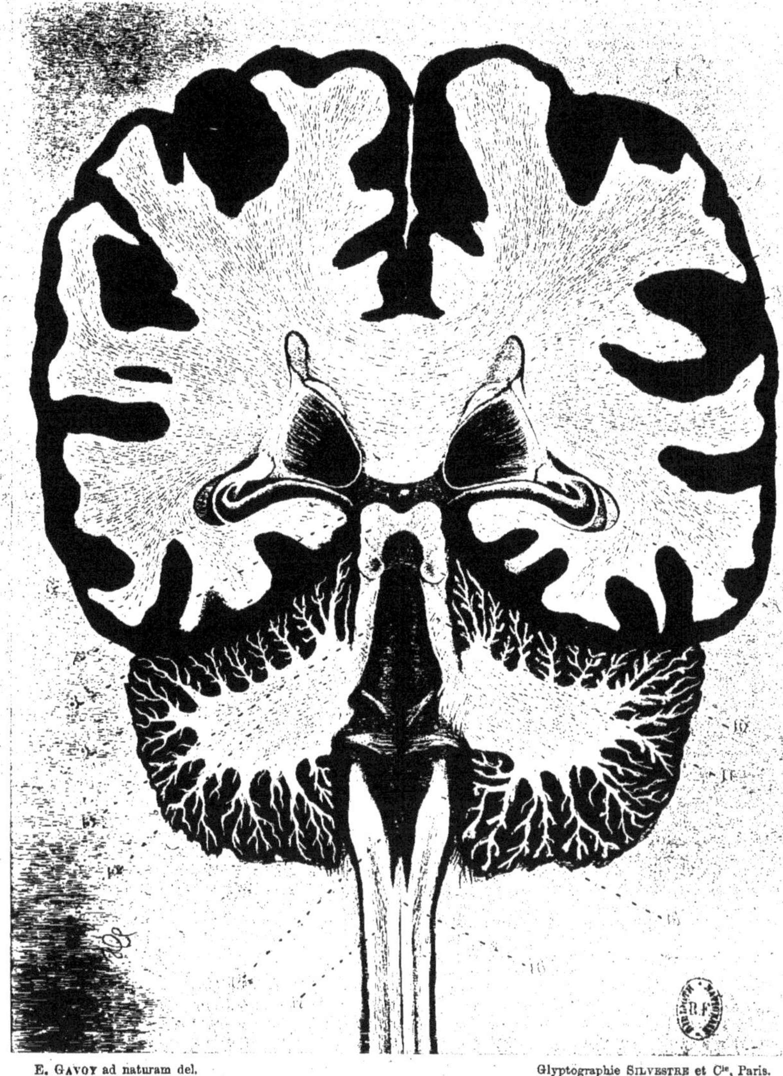

E. GAVOY ad naturam del. Glyptographie SILVESTRE et Cie, Paris.

Coupe verticale transverse passant au niveau des tubercules quadrijumeaux.

LIBRAIRIE J.-B. BAILLIÈRE ET FILS

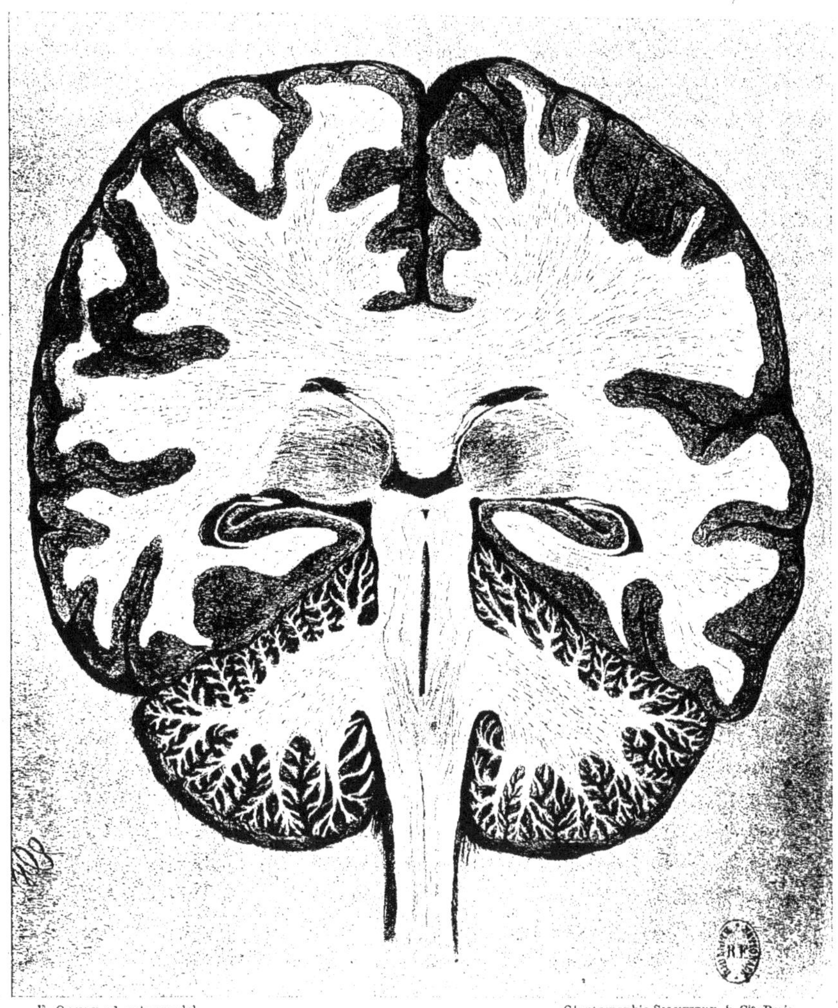

E. GAVOY ad naturam del. Glyptographie SILVESTRE & Cie, Paris.

Encéphale dont on a détaché la coupe précédente par une section verticale transverse de un millimètre d'épaisseur, faite des régions postérieures vers le genou du corps calleux.

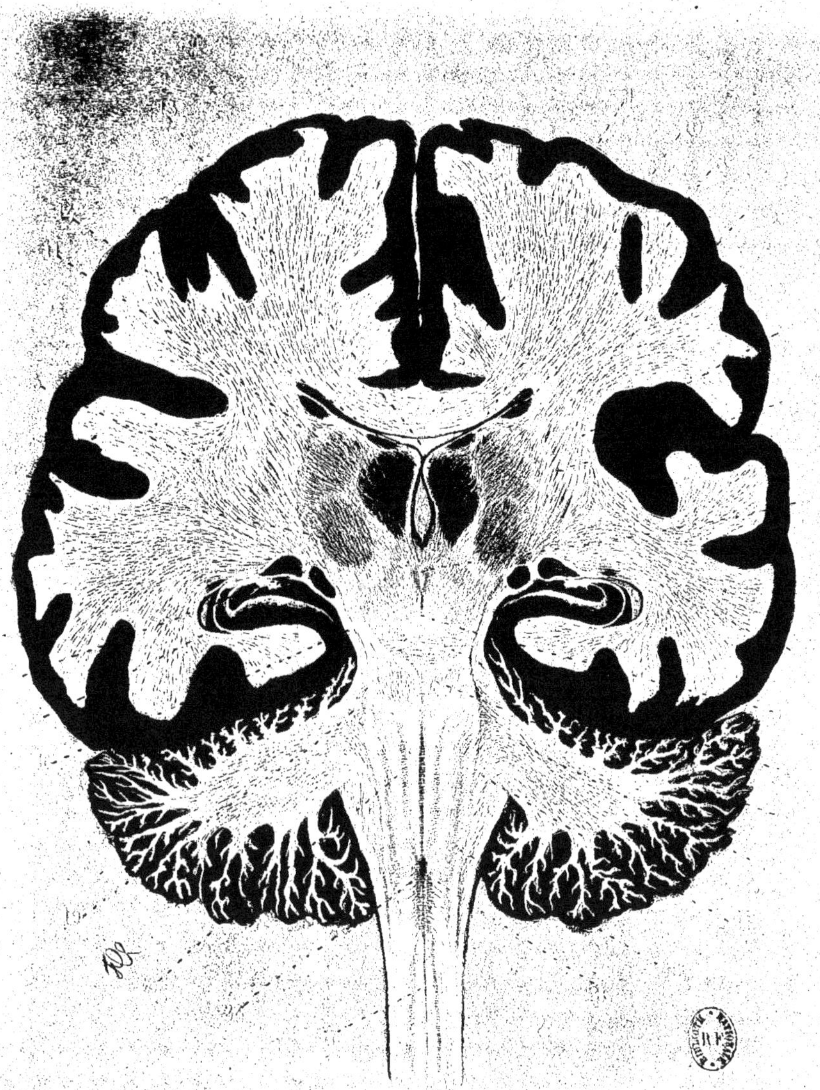

E. Gavoy ad naturam del. Glyptographie Silvestre et Cie, Paris.

Coupe verticale transverse passant en avant de la commissure blanche postérieure.

PLANCHE XXXIX

E. GAVOY ad naturam del. Glyptographie SILVESTRE & Cie, Paris.

Encéphale dont on a détaché la coupe précédente par une section verticale transverse de un millimètre d'épaisseur, faite des régions postérieures vers le genou du corps calleux.

PLANCHE XL

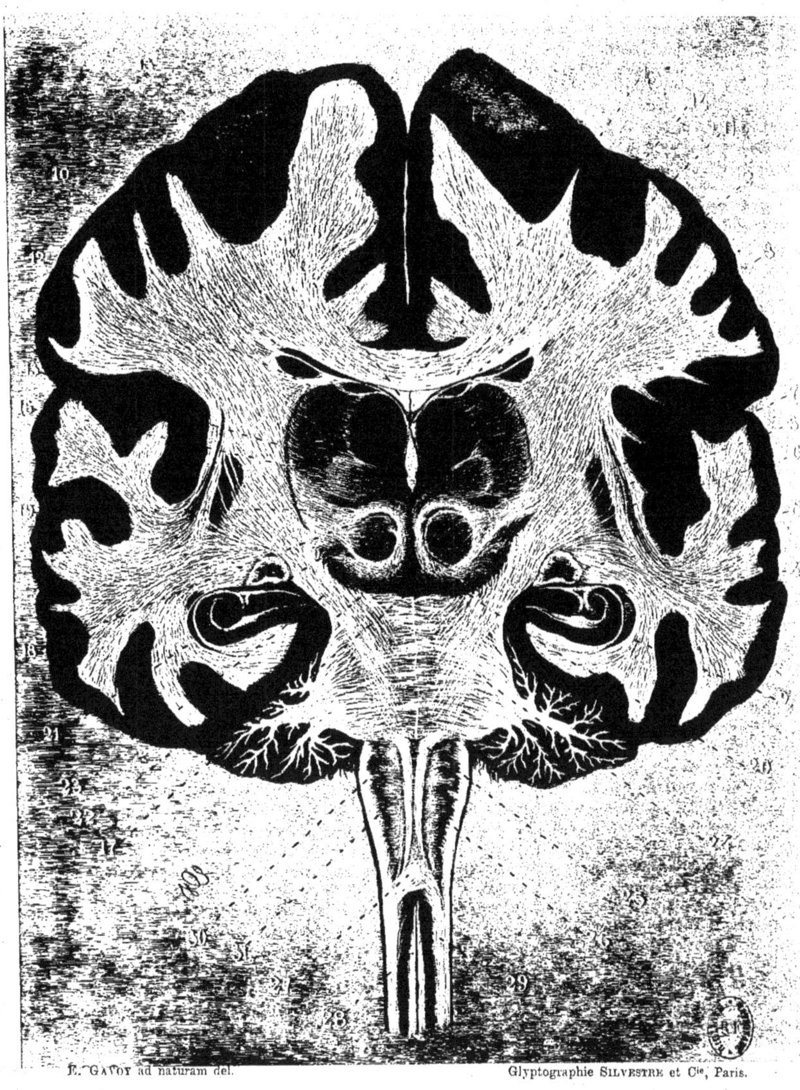

E. Gavoy ad naturam del. Glyptographie Silvestre et Cie, Paris.

Coupe verticale transverse passant par le segment moyen des noyaux rouges de Stilling.

PLANCHE XLI

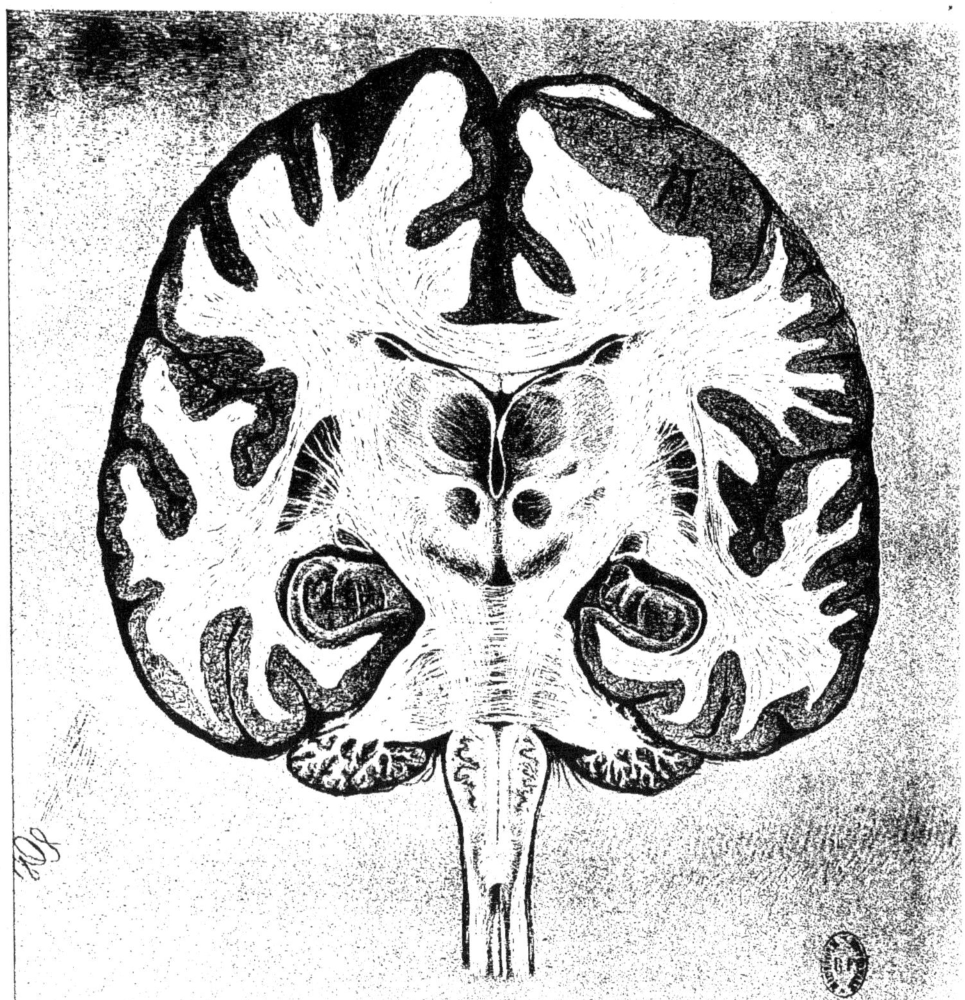

E. Gavoy ad naturam del. Glyptographie Silvestre & Cie, Paris.

Encéphale dont on a détaché la coupe précédente par une section verticale transverse de un millimètre d'épaisseur, faite des régions postérieures vers le genou du corps calleux.

PLANCHE XLII

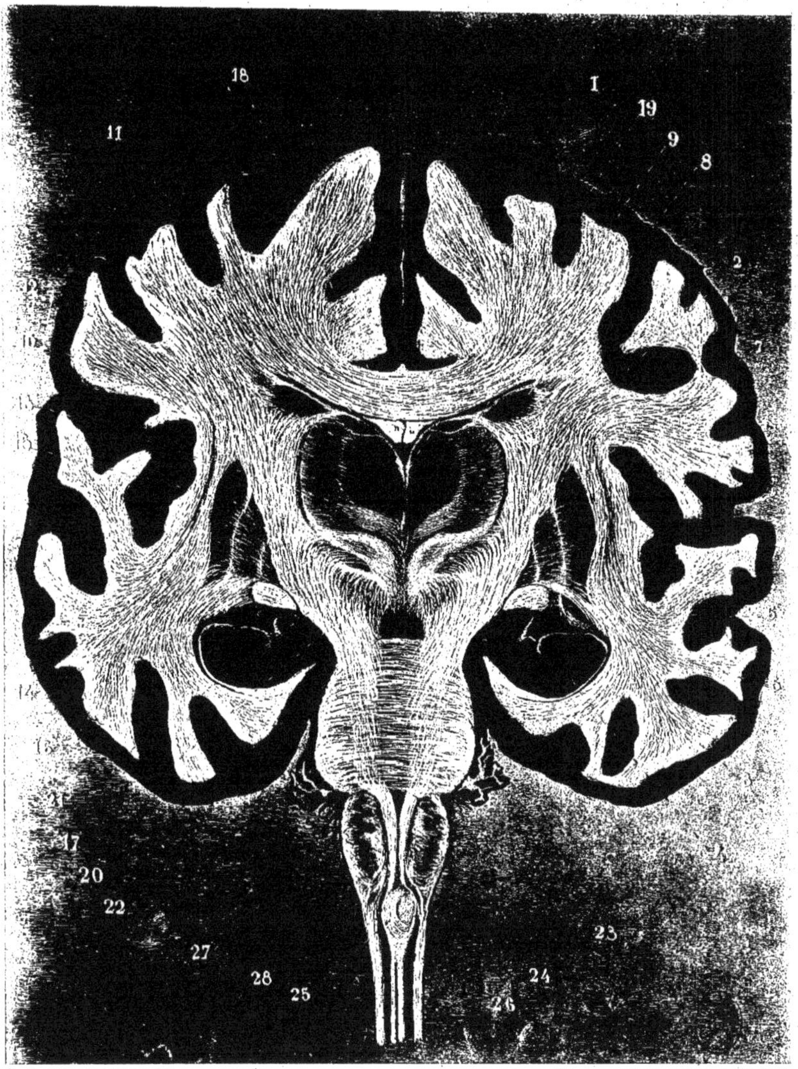

E. Gavoy ad naturam del.

Glyptographie Silvestre et Cie, Paris.

Coupe verticale transverse passant par le segment antérieur des noyaux de Stilling.

LIBRAIRIE J.-B. BAILLIÈRE ET FILS

PLANCHE XLIII

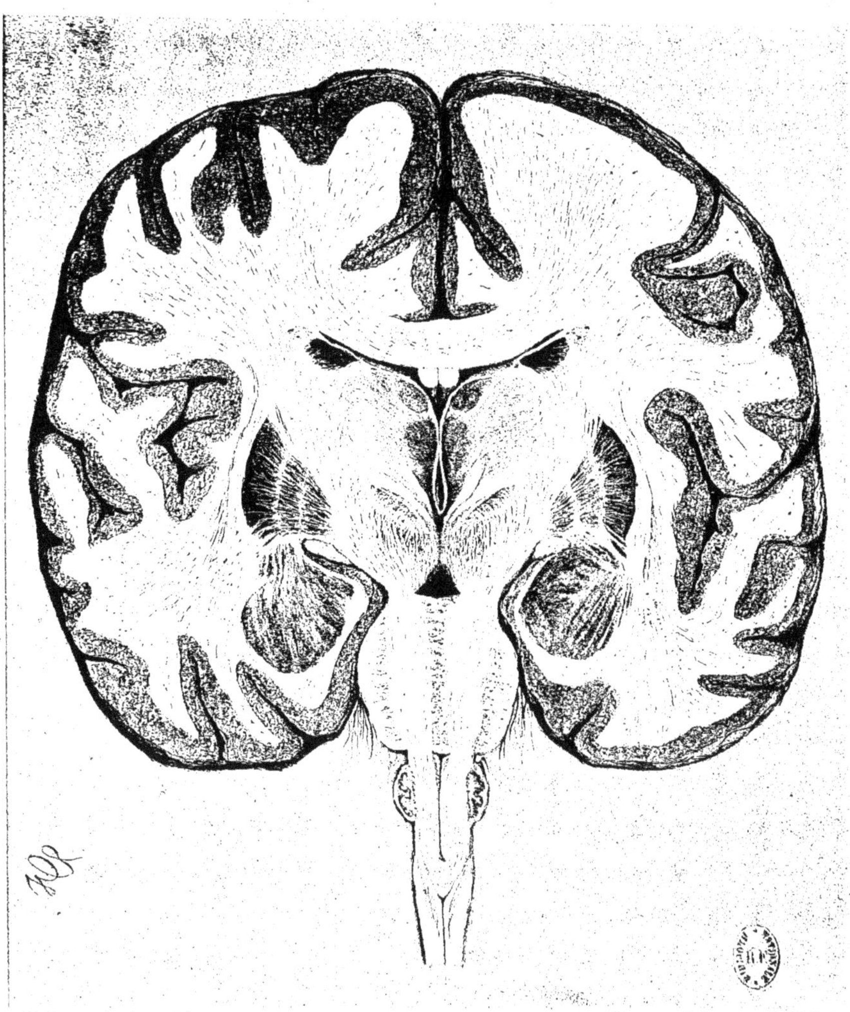

E. GAVOY ad naturam del.

Glyptographie SILVESTRE & Cie, Paris.

Encéphale dont on a détaché la coupe précédente par une section verticale transverse de un millimètre d'épaisseur, faite des régions postérieures vers le genou du corps calleux.

PLANCHE XLIV

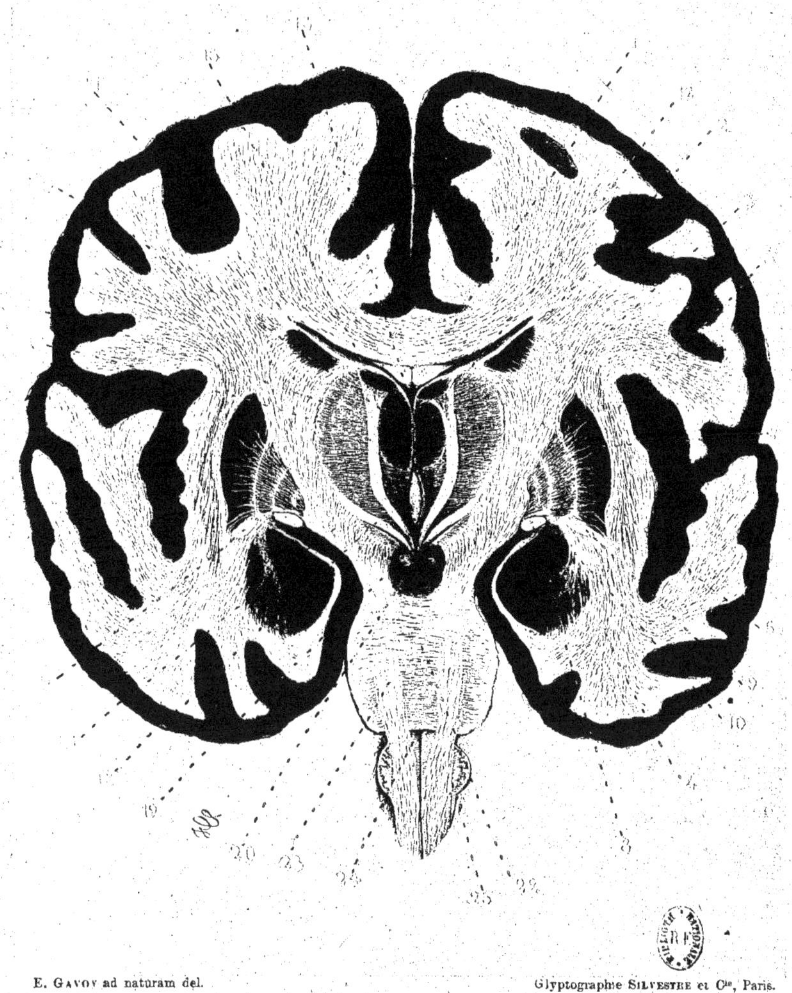

E. Gavoy ad naturam del.

Glyptographie Silvestre et Cie, Paris.

Coupe verticale transverse passant en arrière des tubercules mamillaires.

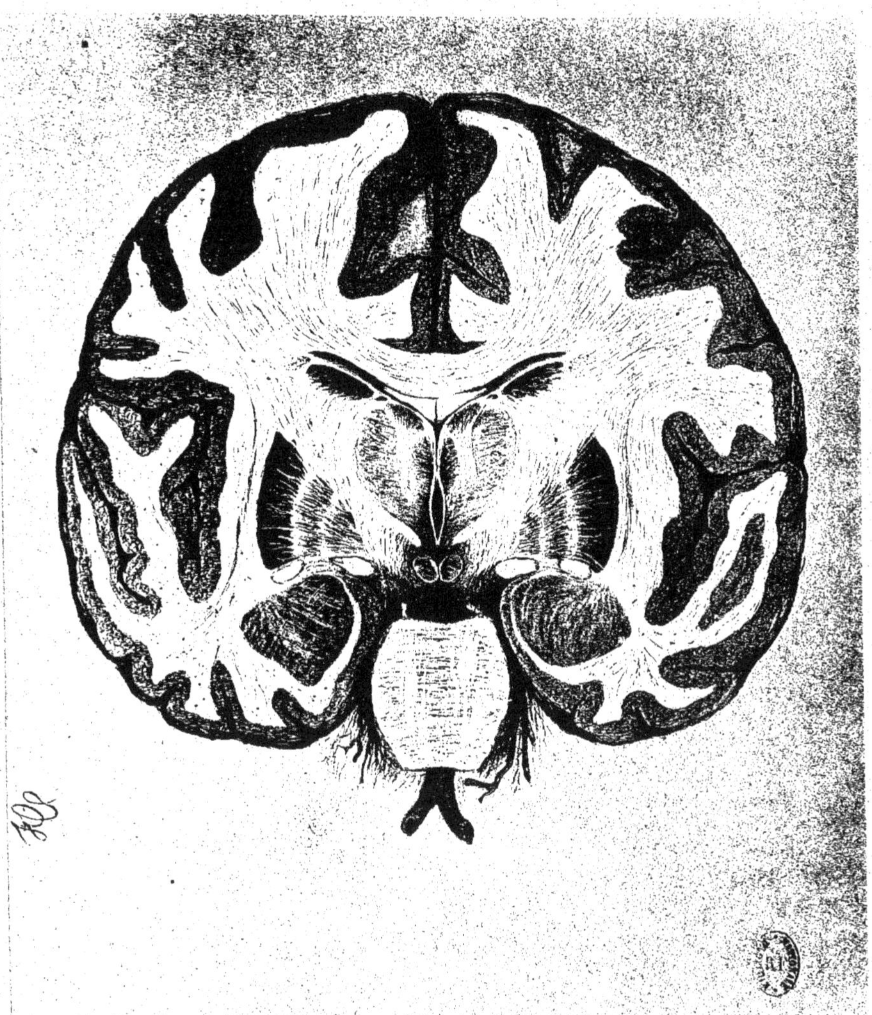

E. GAVOY ad naturam del. Glyptographie SILVESTRE & Cie, Paris.

Encéphale dont on a détaché la coupe précédente par une section verticale transverse de un millimètre d'épaisseur, faite des régions postérieures vers le genou du corps calleux.

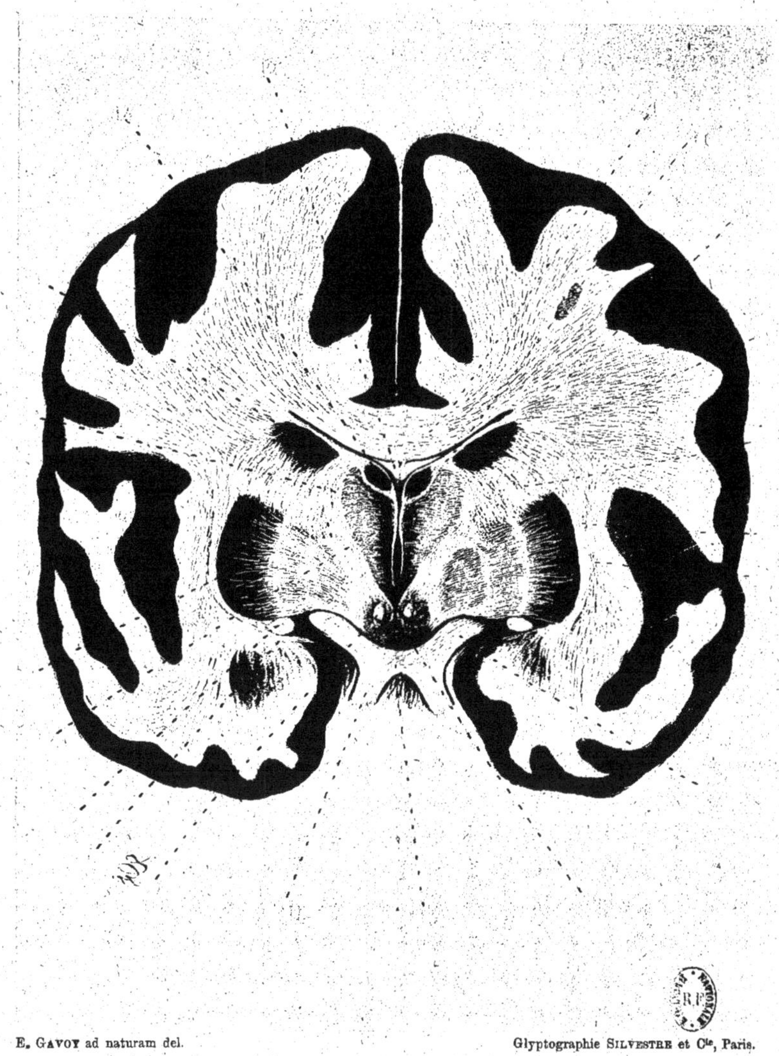

E. GAVOY ad naturam del.

Glyptographie SILVESTRE et Cie, Paris.

Coupe verticale transverse passant par la région moyenne du chiasma des nerfs optiques.

LIBRAIRIE J.-B. BAILLIÈRE ET FILS

PLANCHE XLVII

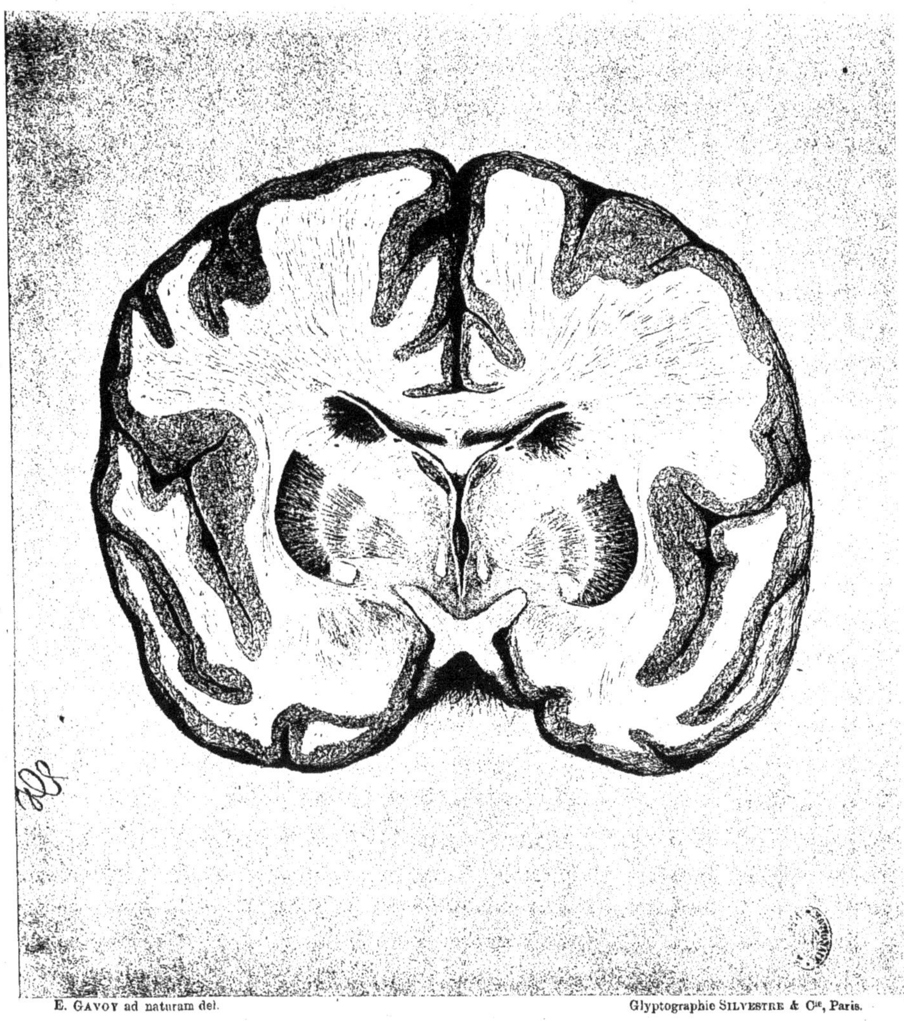

E. GAVOY ad naturam del.

Glyptographie SILVESTRE & Cie, Paris.

Encéphale dont on a détaché la coupe précédente par une section verticale transverse de un millimètre d'épaisseur, faite des régions postérieures vers le genou du corps calleux.

PLANCHE XLVIII

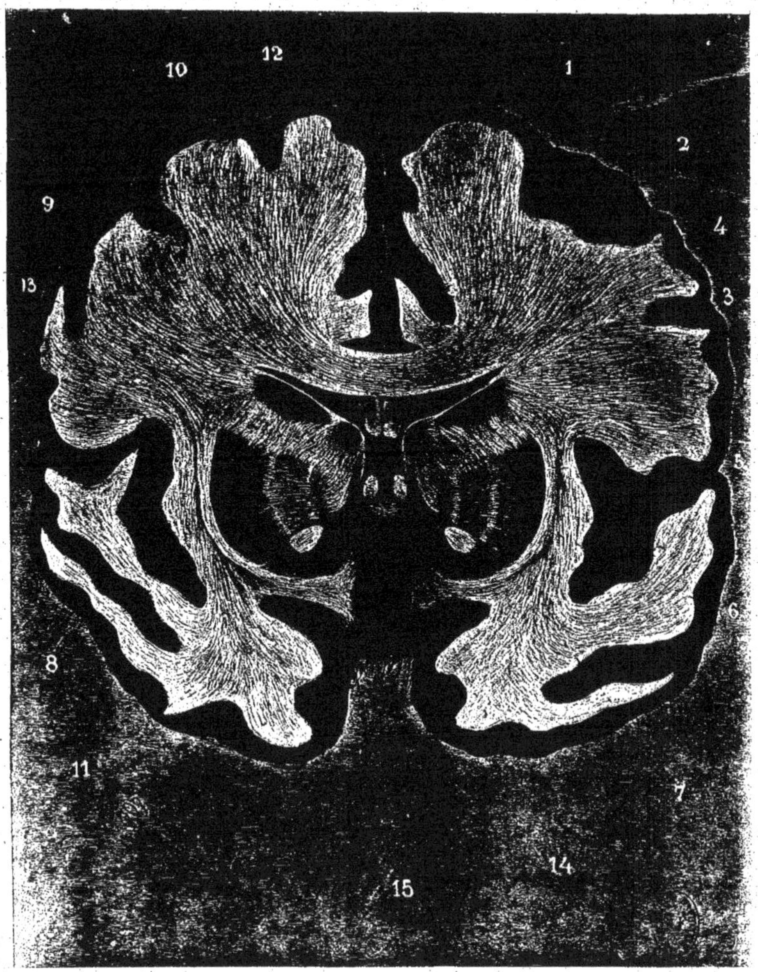

E. Gavoy ad naturam del. Glyptographie Silvestre et Cie, Paris.

Coupe verticale transverse passant en arrière de la commissure blanche antérieure.

PLANCHE XLIX

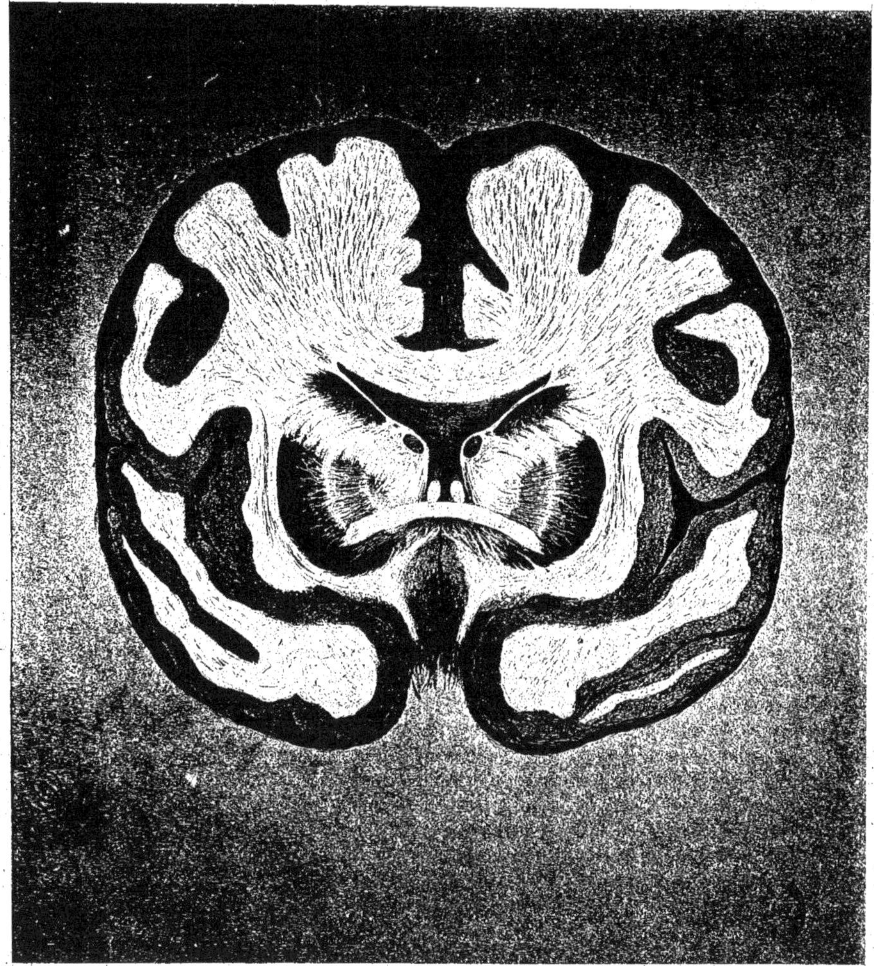

E. GAVOY ad naturam del.

Glyptographie SILVESTRE & Cie, Paris.

Encéphale dont on a détaché la coupe précédente par une section verticale transverse de un millimètre d'épaisseur, faite des régions postérieures vers le genou du corps calleux.

PLANCHE L

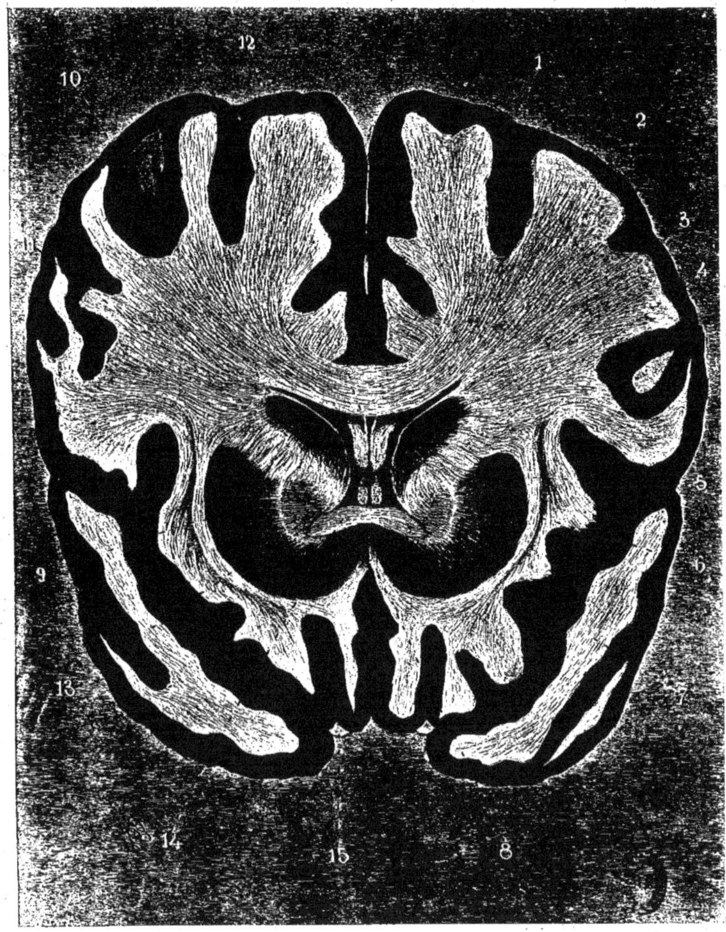

E. Gavoy ad naturam del.

Glyptographie Silvestre et Cie, Paris.

Coupe verticale transverse passant par le bord antérieur de la commissure blanche antérieure.

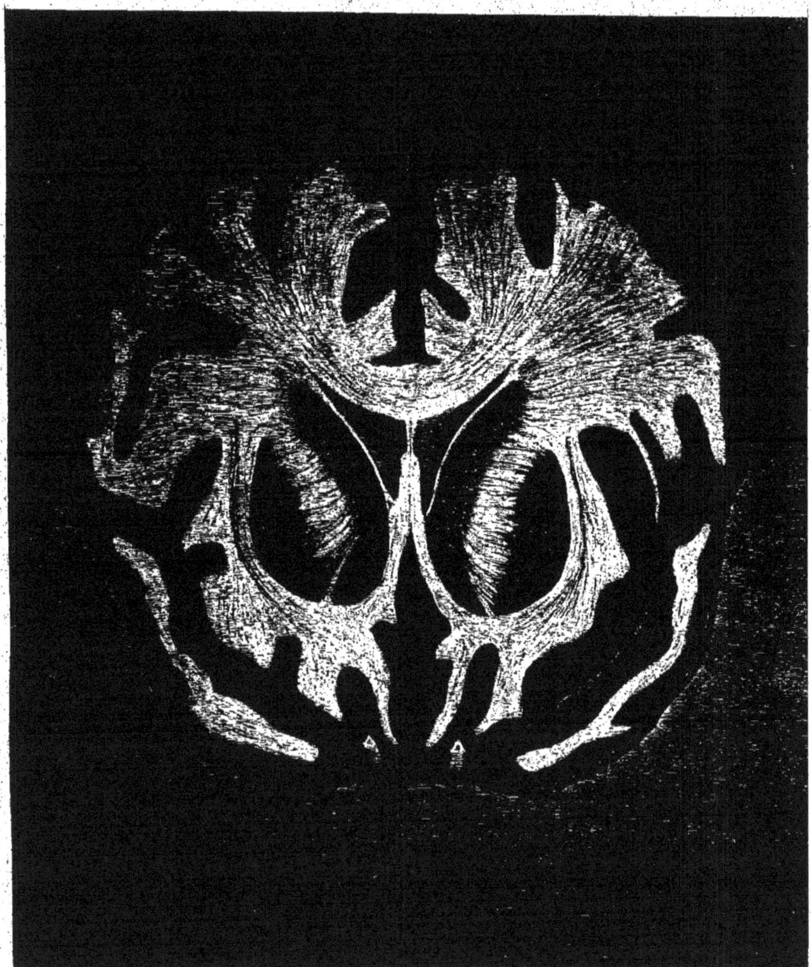

E. GAVOY ad naturam del. Glyptographie SILVESTRE & Cie, Paris.

Encéphale dont on a détaché la coupe précédente par une section verticale transverse de un millimètre d'épaisseur, faite des régions postérieures vers le genou du corps calleux.

PLANCHE LII

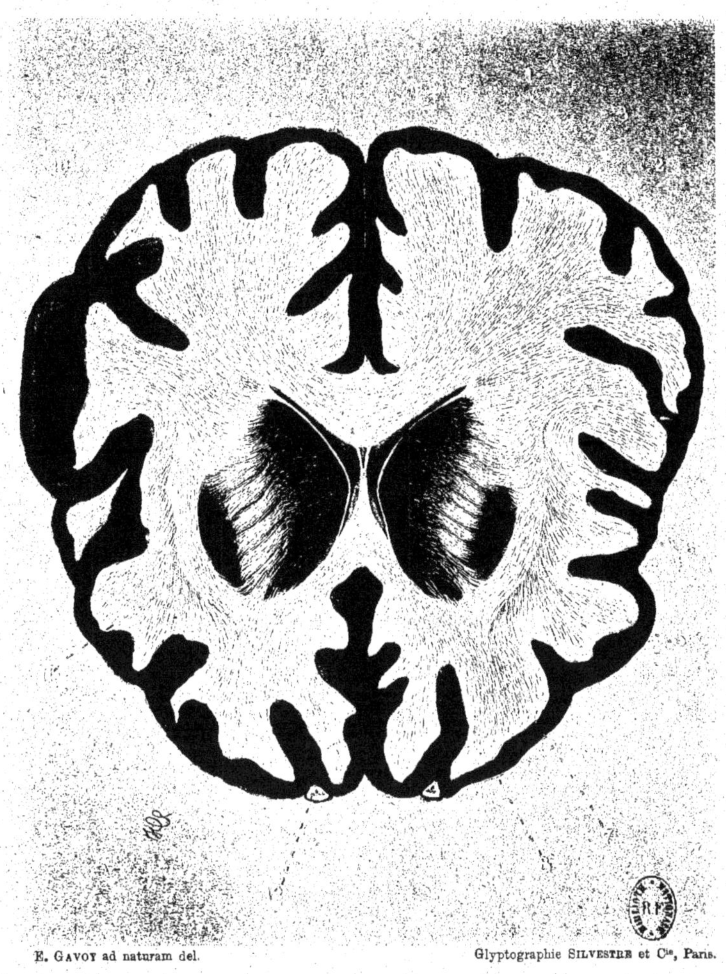

E. GAVOY ad naturam del. Glyptographie SILVESTRE et Cie, Paris.

Coupe verticale transverse passant par la région antérieure du noyau lenticulaire.

LIBRAIRIE J.-B. BAILLIÈRE ET FILS

PLANCHE LIII

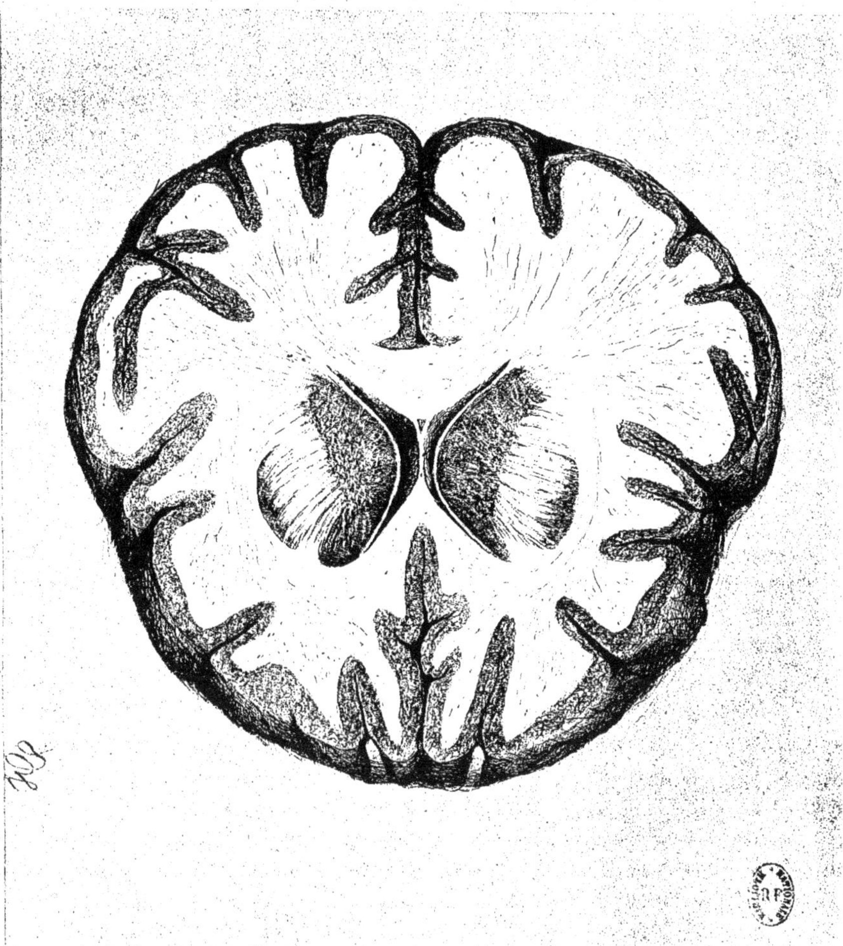

E. Gavoy ad naturam del. Glyptographie Silvestre & Cie, Paris.

Encéphale dont on a détaché la coupe précédente par une section verticale transverse de un millimètre d'épaisseur, faite des régions postérieures vers le genou du corps calleux.

PLANCHE LIV

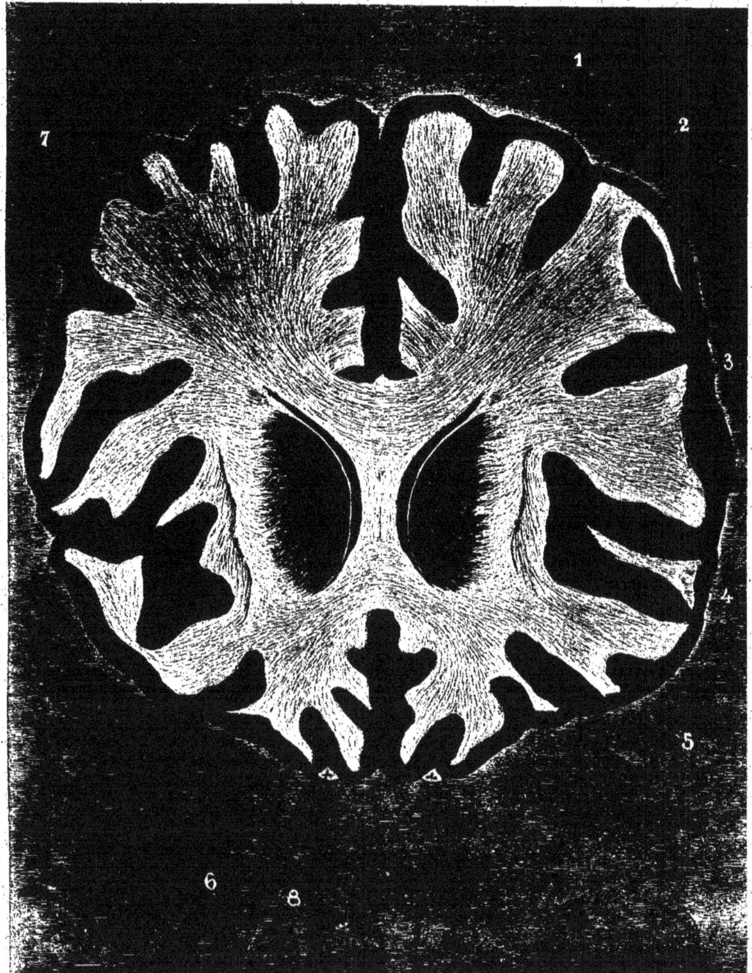

E. GAVOY ad naturam del.

Glyptographie SILVESTRE et Cie, Paris.

Coupe verticale transverse passant par le bord postérieur de la portion réfléchie du corps calleux.

LIBRAIRIE J.-B. BAILLIÈRE ET FILS

PLANCHE LV

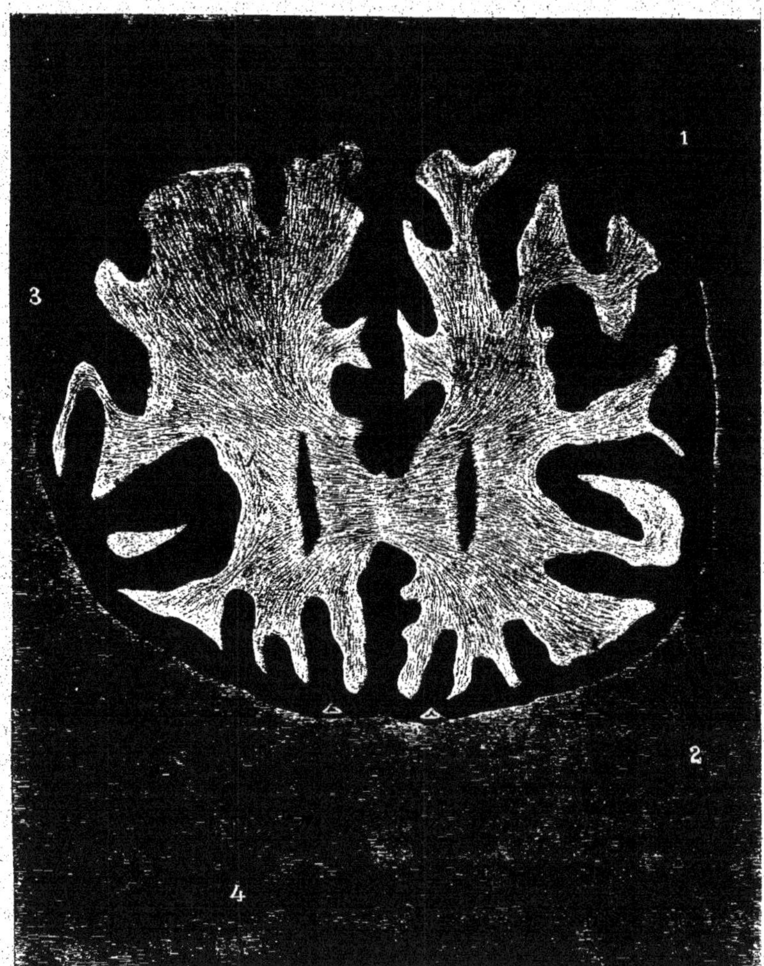

E. Gavoy ad naturam del. Glyptographie Silvestre & Cie, Paris.

Coupe verticale transverse passant par le genou du corps calleux.

STRUCTURE DE L'ENCÉPHALE. — MICROPHOTOGRAPHIE

Pl. 16

PLANCHE A

Fig. 1.

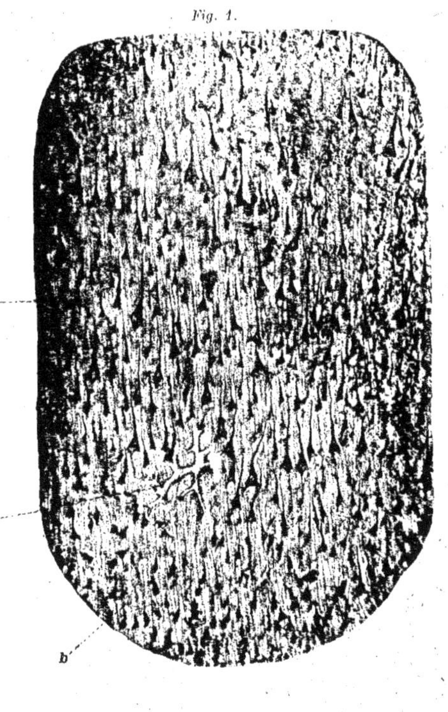

Fig. 2.

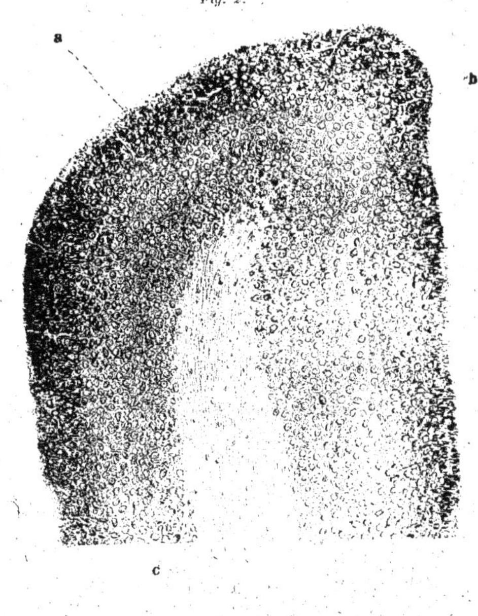

Fig. 3.

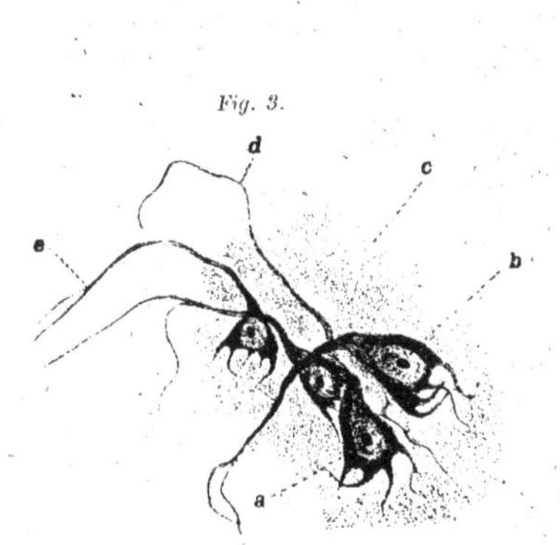

Fig. 4.

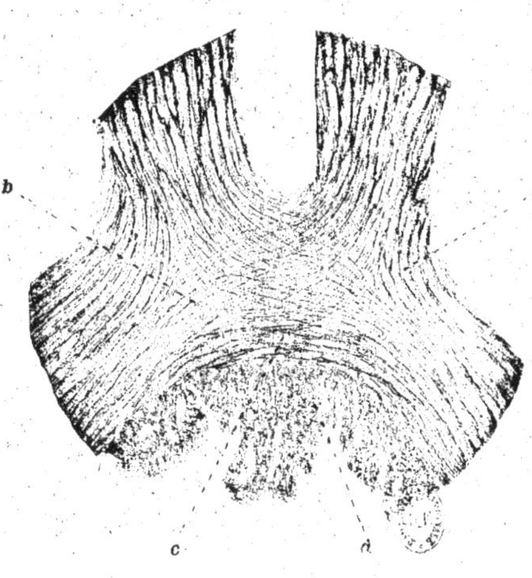

E. Gavoy. — Microphotographie.

Paris. — Glyptographie Silvestre et Cie, 97, rue Oberkampf.

Fig. 1. — Substance grise corticale du cerveau.

Fig. 2. — Substance grise corticale du cerveau.

Fig. 3. — Cellules géantes ou gigantesques isolées.

Fig. 4. — Formation du chiasma des fibres optiques.

LIBRAIRIE J.-B. BAILLIERE ET FILS

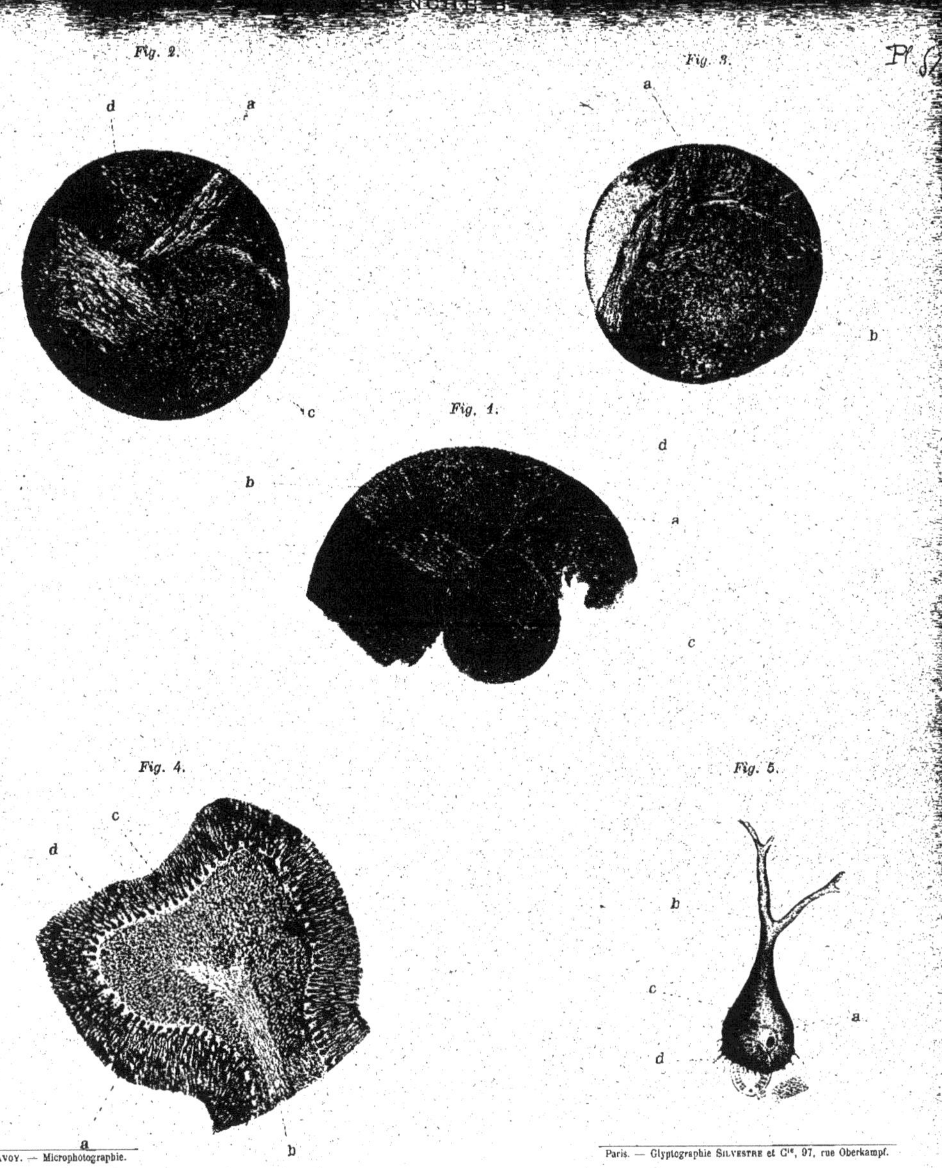

Fig. 1. — Tubercule mamillaire.

Mode d'émergence des fibres efférentes du tubercule.

Fig. 3. — Mode d'immersion des fibres afférentes au tubercule.

Substance grise corticale du cervelet.

Fig. 5. — Cellule de Purkinje.

LIBRAIRIE J.-B. BAILLIÈRE ET FILS

PLANCHE C

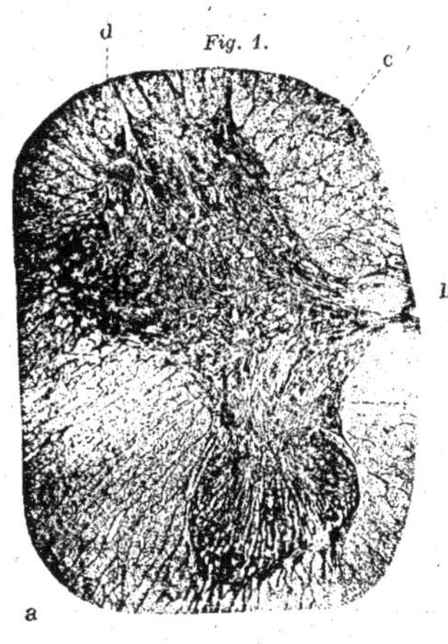

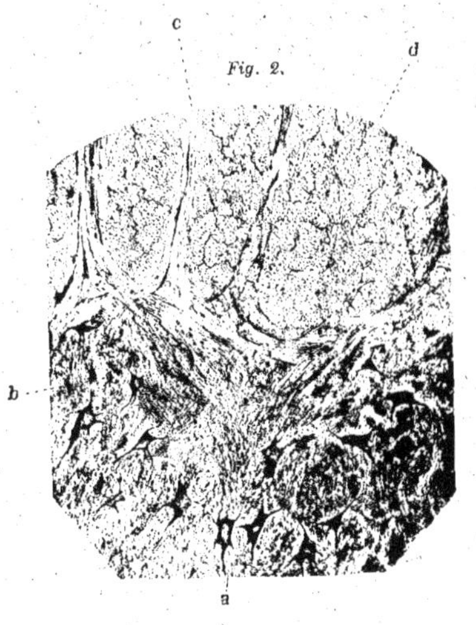

Fig. 3.

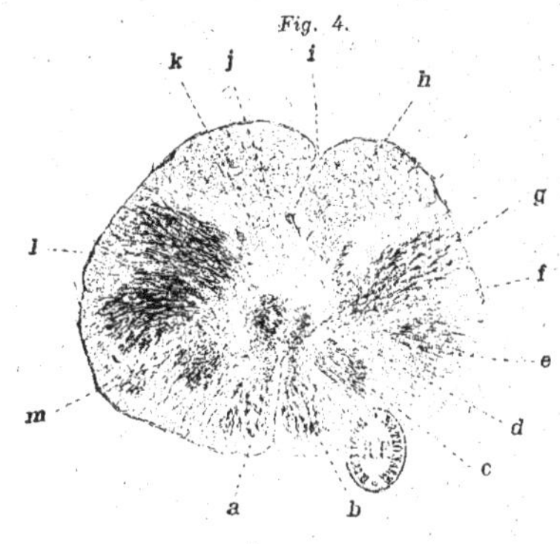

E. Gavoy. — Microphotographie.

Paris. — Glyptographie Silvestre et Cie, 97, rue Oberkampf.

– Substance grise centrale de la moelle épinière.

– Cellules multipolaires isolées de la substance grise de la corne antérieure.

Fig. 2. — Corne antérieure de la moelle épinière.

Fig. 4. — Répartition de la substance grise du névraxe dans le bulbe *(Coupe immédiatement au-dessus du collet)*.

LIBRAIRIE J.-B. BAILLIÈRE ET FILS

PL. 19

PLANCHE D

Fig. 1.

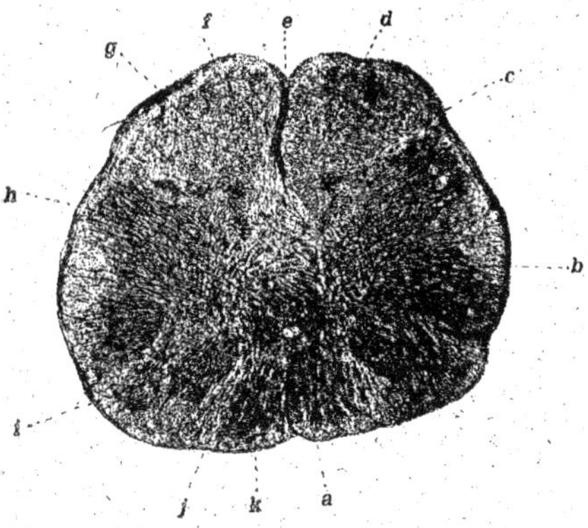

Fig. 2.

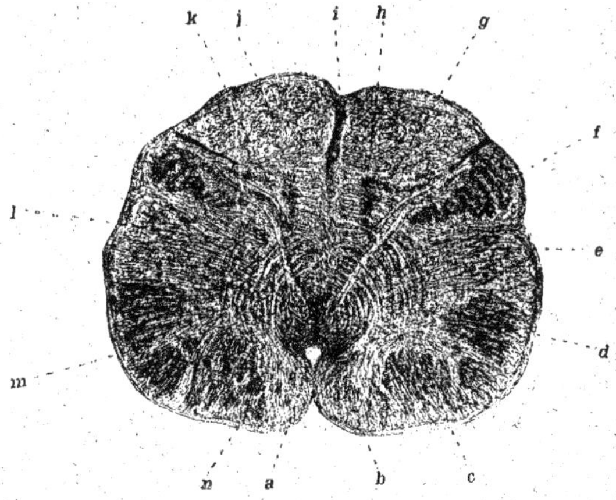

Fig. 3.

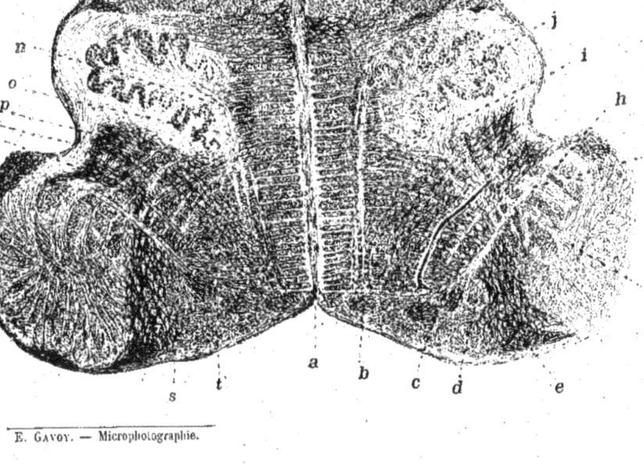

Fig. 4.

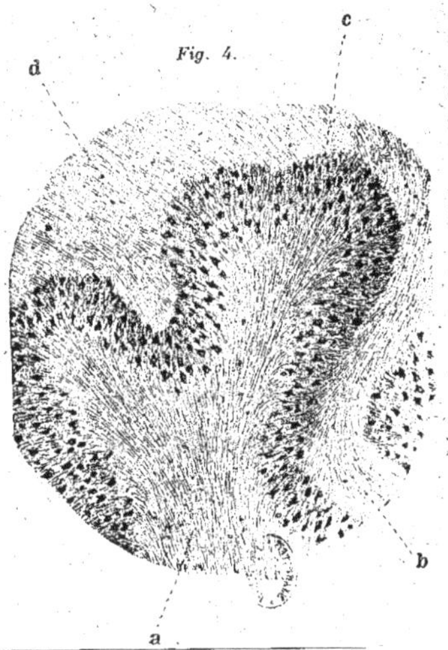

E. Gavoy. — Microphotographie.

Paris. — Glyptographie Silvestre et Cie, 97, rue Oberkampf.

— Répartition de la substance grise du névraxe dans le bulbe *(Coupe au niveau de la région inférieure de l'olive).*

— Répartition de la substance grise du névraxe dans le bulbe *(Coupe au niveau de la région supérieure de l'olive).*

Fig. 2. — Répartition de la substance grise du névraxe dans le bulbe *(Coupe au niveau de la région moyenne de l'olive).*

Fig. 4. — Substance grise de l'olive bulbaire.

LIBRAIRIE J.-B. BAILLIÈRE ET FILS

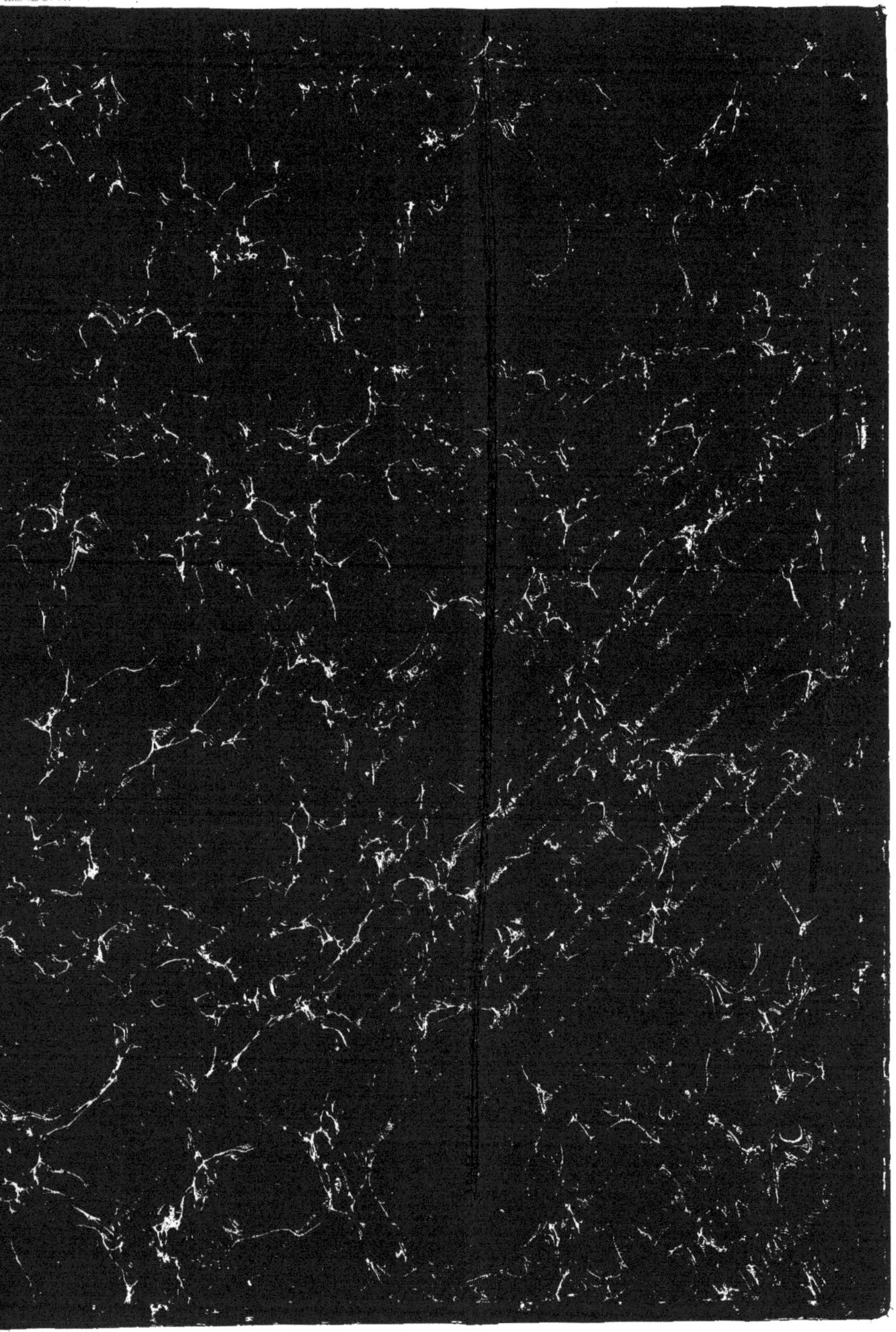

www.ingramcontent.com/pod-product-compliance
Ingram Content Group UK Ltd.
Pitfield, Milton Keynes, MK11 3LW, UK
UKHW020438200726
13857UKWH00002B/474

9 782012 89615